# l'autre moitié du lit

Pour Josyane,

En te souhaitant un moment de lecture agréable. Bonne lecture et surtout, Joyeux anniversaire.

# l'autre moitié du lit

Isabelle Le Pain

Éditeur : François Doucet
Révision linguistique : Carine Paradis
Correction d'épreuves : Véronique Bettez, Suzanne Turcotte
Conception de la couverture : Tho Quan
Photo de la couverture : © Thinkstock
Mise en pages : Sébastien Michaud
ISBN papier 978-2-89667-296-7
ISBN numérique 978-2-89683-058-9
Première impression : 2011
Dépôt légal : 2011
Bibliothèque et Archives nationales du Québec
Bibliothèque Nationale du Canada

**Éditions AdA Inc.**
1385, boul. Lionel-Boulet
Varennes, Québec, Canada, J3X 1P7
Téléphone : 450-929-0296
Télécopieur : 450-929-0220
www.ada-inc.com
info@ada-inc.com

**Diffusion**

| | |
|---|---|
| Canada : | Éditions AdA Inc. |
| France : | D.G. Diffusion<br>Z.I. des Bogues<br>31750 Escalquens — France<br>Téléphone : 05.61.00.09.99 |
| Suisse : | Transat — 23.42.77.40 |
| Belgique : | D.G. Diffusion — 05.61.00.09.99 |

**Imprimé au Canada**

Participation de la SODEC.
Nous reconnaissons l'aide financière du gouvernement du Canada par l'entremise du Programme d'aide au développement de l'industrie de l'édition (PADIÉ) pour nos activités d'édition.
Gouvernement du Québec — Programme de crédit d'impôt pour l'édition de livres — Gestion SODEC.

**Catalogage avant publication de Bibliothèque et Archives nationales du Québec et Bibliothèque et Archives Canada**

*Pour Alicia Vennes, ma filleule que j'aime comme si elle était mienne, et pour Valérie Vennes, la sœur que j'ai choisie.*

*Selon moi, la fortune d'une vie se mesure à la richesse d'un entourage que l'on admire, aime et envers qui nous ressentons une immense reconnaissance. Alors, c'est aussi pour toutes mes muses qui sont les sources d'inspiration pour chacun des personnages.*

« J'ai déjà un moi, j'veux pas être un autre, j'veux être tout entier, pas la moitié d'un autre, j'veux pas être une moitié, vivre à moitié, la moitié de moi-même, la moitié d'un je m'aime. »

Jamil, *Les moitiés*

« Plus les vagues allaient et venaient, plus je m'épuisais et moins j'étais efficace. La tortue continuait d'ajuster ses mouvements à ceux de l'eau et c'est ainsi qu'elle pouvait nager plus rapidement que moi. »

John P. Strelecky, *Le why café*

# Le saut dans le vide

S'il était possible d'introduire ce livre avec une technologie qui permettrait d'entendre une musique de fond au moment où vos yeux glissent sur les mots, la musique serait endiablée, rythmée et porteuse d'espoir et d'énergie. Si vous pouviez entendre ma voix, vous entendriez un ton calme entremêlé d'éclats de rires et, parfois, d'un peu de colère. Mais surtout, si vous étiez devant moi, vous percevriez l'humour, ce trait si précieux pour moi.

Je suis issue d'une famille tout à fait normale, vivant dans une ville également tout à fait sans histoires particulières. De mes parents, j'ai reçu un immense cadeau, même si parfois je le considère empoisonné. J'ai acquis un certain niveau de conscience, mais surtout les caractéristiques particulières pour faire partie d'une certaine race d'humain. La race de ceux qui s'émeuvent encore devant les injustices et les incohérences. Une race qui refuse de baisser les bras et de se déresponsabiliser devant la souffrance et la déshumanisation.

Mais dire que je suis complètement digne de cette race serait mentir. Il m'arrive parfois d'abandonner certains idéaux devant Goliath, tout comme il m'est arrivé de l'affronter. D'ailleurs, je porte sur moi et en moi la trace de ces combats. Pour me consoler, je me dis que c'est un rituel de passage. Celui qui te prépare pour la suite des événements… du moins, je l'espère !

Je suis de la génération X, celle qui reprend tranquillement le flambeau de l'après *baby-boomer*. La génération qui a su prendre ce qu'on offrait sans faire trop de vague. Celle à qui on a répété que nous étions remplaçables, que nous devions faire avec ou quitter sans broncher. La génération prise entre un début de nouvelle ère de conscientisation sur de multiples sujets et un ralentissement de l'efficacité des vieux modèles du « comment bien vivre » ou « comment être heureux ». La génération qui aurait bien voulu être responsable de quelque chose… Mais à qui, trop souvent, nous avons répondu qu'il n'y avait rien à faire, que les choses étaient comme cela, que les règles s'appliquaient de cette façon, qu'il fallait s'adapter puis prendre son « trou ». Tout cela dit par ces mêmes personnes qui adaptaient les règles dans leur propre intérêt.

Je suis de la race des empêcheurs de tourner en rond. Ce terme si cruellement jugé péjorativement. Cette race qui transcende les générations. Qui parfois hésite entre le désir d'abdiquer devant la non-mobilisation de ses pairs ou de piquer une crise de colère en hurlant « réveillez-vous ! ». Je suis une impatiente, une créatrice, une femme au cœur trop tendre et au regard parfois trop sévère. Je suis une travailleuse sociale à défaut d'être devenue missionnaire. J'ai embrassé de plein corps et de toute mon âme cette profession qui est le rejeton de la religion chrétienne. Je suis donc en quelque sorte fidèle à mes idéaux d'enfant quelque peu adaptés à mon temps. D'ailleurs, peut-être est-ce à cet endroit que réside mon problème ; je me questionne…

Alors, je pitonne sur la télé en me disant régulièrement des trucs du genre « ben voyons donc ; ils nous prennent pour des caves » ou encore « regarde le crotté qui prend des grands mots pour cacher la merde qu'il est ». Vous en voulez davantage ? Pas de problème ! Il y a aussi « y nous volent… c'est clair », « ben oui ! voir que les règles s'appliquent à tout un chacun » ou encore « maudit que ça fait du bien ! Certaines déconfitures bien ciblées, malgré tous les spécialistes qui auront tenté stratégiquement de bloquer l'obus ». Il m'arrive même d'espérer et de rêver à une révolution. Celle de la fin du « politiquement correct » vers le logicisme correct. Je m'offusque, je critique mais je ne participe pas aux manifestations. Au mieux, je signe des pétitions sans grand espoir quant à leur efficacité.

Mais ici se termine mon ton philosophique et incisif. Je ne suis pas toujours cohérente et juste, et ce, même si je suis honnête et authentique (beaucoup trop, parfois). À bien y penser, c'est peut-être qu'au fond, c'est ma propre révolution que je souhaite, en critiquant le monde extérieur. Alors, afin de m'amender envers ceux que je juge et ma race que j'abandonne trop souvent... je vais commencer par moi. L'idée est terrifiante, je l'admets. Mais comme j'aime bien les films à suspense qui donnent des frissons, alors pourquoi pas ! Très humblement, je me lance. Que commence le récit de mes névroses... en espérant rejoindre les vôtres ! Assoyez-vous bien tranquillement et « brochez » solidement votre tuque sur votre tête... 3, 2, 1... c'est un début !

Le mandat de l'organisme où j'exerce est celui de protéger les enfants contre les abus de toutes sortes. J'adhère complètement à cette mission et j'y adhèrerai toujours. Pourtant, un jour... j'ai eu une « légère » envie de malmener un enfant. J'explique : je suis en voyage à Las Vegas, à bord d'un avion survolant le Grand Canyon. Il fait une chaleur insupportable. Alors, avant de m'envoler, j'ai la brillante idée de manger un immense sandwich à la crème glacée. Puis, au moment où le pilote indique où se trouve les petits sacs à « récupération des repas », je regarde mon amie Ariane en riant et en levant les yeux au ciel. L'avion est minuscule, nous sommes à peine une dizaine de passagers, ce qui me donne l'occasion d'admirer le magnifique homme assis près de moi.

Nous décollons et on nous informe que la durée du vol sera approximativement de soixante minutes. Sur le coup, je trouve que le billet est chèrement payé pour la minuscule expédition. Mais qu'à cela ne tienne, voir le Grand Canyon du haut des airs, quelle expérience mémorable, et croyez moi, elle l'a été...

Au bout de quelques minutes, nous ressentons les premières turbulences. C'est normal, selon le pilote. C'est la force d'attraction de la terre que nous survolons et qui est inégale, selon les portions du parcours.

Les poches d'air deviennent disons… de plus en plus vides, ou remplies… je ne sais pas trop, je ne parle pas le langage des pilotes. Ce que je sais, par contre, c'est que je suis en pleines montagnes russes et croyez-moi, si je n'avais pas été attachée, j'aurais subi une fracture du crâne en frappant le haut de la carlingue.

Le « magnifique » à mes côtés ne semble pas apprécier les hauts et les bas, ni le seul enfant à bord, d'ailleurs. L'enfant est un Américain de treize ans (quelques spécifications qui j'espère me rallieront les antipathiques pour nos voisins du sud, ainsi que les parents d'adolescent ; j'admets craindre de paraître cruelle). L'enfant, dis-je, hurle aux quinze secondes et je vous en fais immédiatement la traduction : « Oh mon dieu, nous allons mourir ». Pauvre enfant, il est terrorisé et je suis sympathique à sa cause, parce que je partage également un certain doute. L'air conditionné de l'avion est en panne. Il doit faire 45 °C et inutile de vous dire qu'on ne peut pas ouvrir les hublots…

Alors que je me tourne vers le « magnifique » à ma gauche : ce dernier est d'une légère teinte verte, ouvre un sac à vomir et le remplit à souhait. Nous avons, malgré le bruit des moteurs, également droit à son propre bruit corporel d'usage. Je me retourne immédiatement pour éviter le haut de cœur prévisible, mais l'odeur me rejoint quelques instants plus tard.

En quelques secondes, les passagers se cotisent en papiers-mouchoirs disponibles et font passer le tout au pauvre homme. Ironique de voir comment, dans certaines situations, de parfaits inconnus peuvent devenir rapidement solidaires. La chaleur aidant, l'odeur devient insupportable. Comme dans un mauvais film et dans mes cours de chimie, j'assiste au phénomène de l'effet en chaîne… et l'avion se transforme en séance d'exorcisme massive. Il n'y a pas de doute, plus de la moitié des passagers sortent le « méchant ».

Je reviens au petit américain, qui maintenant HURLE que nous allons mourir, et ce, sans relâche. Si au moins il avait vomi, on aurait eu un petit répit… mais non, la vie est une vache ! Je ne sais plus où regarder, car la vue extérieure me donne le tournis et les « mottons » de nourriture digérés et collés aux joues de mes semblables (plus de mouchoirs disponibles) n'aident pas à ma cause. Alors, je ferme les yeux. Je sais qu'en ce moment vous avez l'image en tête. N'ayez crainte, j'arrive à l'apogée de mon récit.

En fermant les yeux, j'ai l'impression que mes narines et mes oreilles monopolisent davantage mes perceptions, ayant le champ libre pour consommer toute mon attention. Le pilote annonce qu'il reste vingt-cinq minutes de vol.

Vingt-cinq minutes de torture où j'aurais pu admettre, sans difficulté, être l'assassin de John F. Kennedy. L'épreuve de force entre moi et mon sandwich à la crème glacée s'annonce féroce. D'ailleurs, je perds le combat au bout de cinq minutes. Ce qui m'amène à constater deux choses. D'abord, les sacs sont bien conçus, puisque imperméables. Ensuite, le fond étant très près de la bouche… il y a l'effet « éclaboussures » vers le visage, ou ressac, sans mauvais jeu de mots. Mon amie Ariane et digne compagne de voyage, solidaire, se syntonise sur moi et vomit à son tour.

« NOUS ALLONS MOURIR, NOUS ALLONS MOURIR, NOUS ALLONS MOURIR... » Le petit crisse ! Y vas-tu la fermer, sa gueule !

« NOUS ALLONS MOURIR, NOUS ALLONS MOURIR... » Calvaire, qu'est-ce que font les parents ? Y pourraient pas le brasser pour le faire taire ou le faire vomir... Y pourrait pas simplement le « crisser » en bas de l'avion ? Pis là y vas mourir pour de vrai !

Je me tourne vers l'enfant et les parents. J'ai littéralement un regard de tueur en série. Ariane, qui aperçoit mon visage, se met à rire comme une folle. La folie, c'est le mot qui convient pour expliquer ce qui se passe dans ma tête. Je vais même jusqu'à exprimer clairement mes pensées odieuses sur la mort souhaitée de l'enfant, auprès d'Ariane. Elle rit de plus belle... je ris aussi, nous rions... nous sommes hystériques.

*Welcome* ! Dans mes incohérences et mes névroses. Bienvenu dans ma vie et mon histoire de l'autre moitié du lit. Je suis Gabrielle, je suis tout cela et plus encore.

# Gabrielle et son orchidée

Je suis déconcertée. Nonobstant mon désir de la maintenir en santé, mon orchidée vient de perdre une de ses fleurs. Elle est morte ce matin. Je n'ai rien pu faire. Malgré le fait que j'en prends soin jalousement, elle est partie.

Je n'ai jamais eu le pouce ou même l'index vert. Pas plus que d'intérêt pour le sujet, d'ailleurs. Mais cette orchidée, elle est particulière. Elle est la seule plante verte de ma maison. Elle trône sur le bain podium depuis un certain temps. Chaque jour, je caresse ses fleurs et je la soigne.

Mon orchidée blanche est devenue, en quelque sorte, la seule chose vivante dont j'ai entièrement la responsabilité. Elle est un cadeau d'anniversaire de ma filleule Luna.

Lorsqu'elle a emménagé chez moi, elle était enveloppée et enrubannée. Luna la portait fièrement dans ses mains. Elle l'avait choisie pour moi.

— Regarde marraine ce que je t'ai choisi... elle te ressemble, je trouve.

Peut-être qu'un jour, elle pourra m'expliquer pourquoi la plante et moi avions une ressemblance. Pour le moment, elle m'explique que c'est parce que je sens bon.

Avec le temps, je me suis surprise à m'attacher à cette plante. Elle est capricieuse, fragile et précieuse. Lorsqu'elle est en fleur, elle m'offre un bouquet durant des semaines. La première de ses fleurs, je crois que c'est en quelque sorte un peu moi. Elle est à l'avant, fière et elle semble protéger les autres. Elle brave la température ambiante et se hisse plus loin vers le soleil. Mais elle n'est pas seule, elle est entourée de fleurs tout aussi magnifiques qu'elle. Je crois qu'elle vit justement parce qu'elle n'est pas seule.

Aujourd'hui, une de ses fleurs s'est fanée. Tout comme aujourd'hui, l'une des « poules », Justine, se meurt. Pas à cause d'un cancer, elle n'a finalement rien. Pour autre chose. J'ai été témoin de sa mésaventure. J'ai reçu la nouvelle avec une décharge aussi puissante que si elle avait été mienne. Pendant que je me plains d'être célibataire, mon amie le redevient... Après dix ans de vie de mariage, deux enfants, une maison, un chien et une souffrance immense.

J'étais présente, à ses côtés, chez elle. Le message texte est arrivé. On pouvait y lire « je ne reviens plus à la maison. Mon frère passera demain pour récupérer mon linge ». Mon amie est devenue blanche comme mon orchidée. Elle s'est effondrée sur le divan. Le silence a submergé son immense maison. J'ai eu peur pour elle et je n'ai pas su quoi dire. Comme si mes plaintes et mes commentaires n'étaient valables que sur mon propre sort. Il faut dire que j'étais à la fois empathique à sa souffrance, mais en même temps, je me sentais soulagée. Soulagée que son « violent de mari » décide de lâcher son emprise sur elle. Toutefois, j'avais un doute quant à ses réelles intentions de quitter Justine. Il m'avait semblé que depuis peu, Justine s'affirmait davantage face aux situations problématiques qui n'étaient réelles que dans la tête de son conjoint. Le connaissant depuis longtemps, il n'était pas du genre à quitter définitivement. Il était plutôt le genre à déserter, afin de mieux reprendre son ascendant sur Justine.

Elle m'a demandé comment c'est de dormir seule. Je lui ai dit que l'on pouvait mieux s'étendre. J'ai menti, je ne m'étends jamais. Je conserve la place vide intacte. Parce que j'attends toujours que la vie vienne combler le côté gauche de mon lit.

Elle m'a demandé comment c'est de ne plus avoir à rendre de compte sur ses déplacements. Je lui ai dit que c'était une liberté précieuse. J'ai menti. La liberté pour moi n'est pas de faire ce que je veux quand je le veux. La liberté se trouve dans les opportunités, à l'intérieur d'une relation qui te ramène toujours vers la maison. Elle représente pour moi la capacité de voler de ses propres ailes, de pouvoir aller plus loin, parce que tu sais qu'il y a un nid chaud et douillet qui t'attend. Dans ce nid, il y a aussi la présence de l'autre. Celui qui fait équipe avec toi, d'une façon réciproque.

Elle m'a demandé comment c'est de manger ses repas en solitaire. Je lui ai dit que c'était routinier et que la plupart du temps, je mangeais en compagnie des lecteurs de nouvelles. Je lui ai dit qu'elle ne mangerait pas seule; qu'elle avait encore ses enfants. Elle m'a regardée et m'a dit qu'ils étaient également ses enfants et qu'ils le resteraient toujours. Je lui ai dit qu'elle avait raison. Il y a des jours entiers où elle n'aura pas envie d'élaborer un menu complet.

Elle m'a demandé comment je vis la solitude dans la maison. Et la nuit, lorsque j'entends des bruits? Je lui ai répondu la vérité. Ma maison est dans un ordre impeccable et chaque objet trouve soigneusement sa place. Comme s'il s'agissait du seul univers où j'ai entièrement le contrôle. Le silence est rompu en permanence par la musique ou la télévision. Le téléphone est l'appareil qui réduit parfois la lourdeur du vide. La pénombre me fait parfois peur. Je me retiens pour ne pas dormir avec une arme blanche sur ma table de nuit. Je songe souvent à prendre un système d'alarme. Après vingt heures, je n'aime pas lorsque l'on sonne à ma porte. Je n'aime pas non plus lorsque l'on me demande «si monsieur est à la maison». Je suis par contre chanceuse, Ariane et Luna dorment sous mon condo.

Elle m'a demandé comment se passent mes weekends. Je lui ai dit que le bonheur réside dans le fait de boire tranquillement son café, en lisant le journal. De faire ses tâches ménagères tranquillement et de ne retirer son pyjama qu'au moment où il semble défraîchi. Les vendredis soirs sont toujours appréciés. On revient fatigué d'une longue semaine de travail. La «doudou» et le cinéma maison t'attendent, afin de t'amener dans un autre monde, celui de ton choix ou selon les films encore disponibles au club vidéo. Le samedi soir est toujours une question de chance. Comme la plupart des gens sont en couple et en famille, peu de gens sont disponibles. Il y a certainement des soirées ou des soupers entre amis qui sont organisés, mais comme célibataires, nous sommes rarement inclus. De toute façon, il ne s'agit pas d'événements très intéressants pour une personne seule. Un peu comme dans un de tes souvenirs d'enfance, lorsque tu penses à ce camarade au cours de gym. Chacun des enfants a été choisi par une équipe, sauf lui. Le professeur s'en mêle et le joint à l'équipe des bleus. Sous le sourire moqueur de l'équipe des rouges, les bleus l'accueillent avec désespoir de cause. Il a maintenant une équipe, mais tous savent qu'il demeure le garçon assis en indien, derrière la ligne rouge. Ce garçon qui pourrait déranger ou alourdir le travail d'équipe. Personne n'aime être ce garçon.

Parfois, tu sors et tu vas au cinéma. Parfois, tu penses de longues heures à ce que tu pourrais bien faire de ta soirée et finalement, tu ne fais rien. Nous vieillissons, ma chérie, et les goûts changent. Ce qui nous amusait tant auparavant ne nous fait plus sourire maintenant. Nous sommes dans la tranche d'âge où les activités se font plus rares. Un peu comme si on nous disait que notre place est à la maison, en famille.

De temps en temps, il y a nos soirées des six poules. Ces soirées anticipées, où nous allons au restaurant et passons du temps ensemble. Elles sont assez régulières, heureusement. Comme tu le sais, nous nous voyons au moins huit fois par année. Puisqu'elles sont toujours planifiées à l'avance, dans mon cas, ça me permet de les attendre avec enthousiasme. Nous soulignons les anniversaires et les jours fériés. Nous soulignons même la St-Valentin. Cette attention éloigne un peu le spectre du sentiment d'être « un rejet de la société », durant ces journées commerciales.

Elle m'a demandé si l'on s'habitue à la solitude. Je ne sais pas. Lily affirme que c'est possible. Elle n'attend plus rien à ce niveau. Sa bulle de princesse est crevée, comme elle le dit si bien. Elle ne souffre pas et apprécie chacun des moments qui se présentent à elle. Lily est une solitaire de nature, alors peut-être que cela influence. Pour moi, je dirais que ce n'est pas une question présente en permanence. Elle demeure toutefois en trame de fond et elle s'impose à moi lors de certains événements. Un peu comme si j'avais perdu un membre et que j'avais appris à vivre avec la « douleur fantôme ». Peut-être qu'au fond, je ne veux pas m'habituer à être seule.

— Viens dans mes bras Justine, tu vas voir... tout ira bien... Je préviens les autres poules ; on va s'organiser pour que tu ne sois pas trop seule. »

Plusieurs heures après mon départ de chez Justine, je suis entrée à la maison. Il y avait de la lumière chez Ariane et Luna dessinait sur la table de la cuisine. Au moment où je sortais de mon véhicule, Luna a levé la tête pour m'apercevoir. Comme à son habitude, elle est sortie en courant afin de m'accueillir.

— Où étais-tu marraine ? Je m'ennuyais...

— Je n'étais pas loin mon chaton... tu le sais que je reviens toujours vers toi.

Ce soir-là, j'ai finalement passé la soirée en compagnie d'Ariane. Le cœur rempli de reconnaissance envers elle.

Pour sa présence, son amitié et pour ma filleule qui m'a offert cette orchidée. Cette même orchidée qui est devenue le symbole de ma vie de célibataire. Cette orchidée blanche que je laisserai peut-être mourir, au moment où je ne serai plus présente quotidiennement à la maison pour la soigner. Je prends soin d'elle aujourd'hui, comme je prendrai soin un jour de mon conjoint, de mes enfants... en tout cas, je l'espère.

Je suis Gabrielle. Une amie, une femme, une marraine, une collègue. Mais je ne suis pas une conjointe, ni une mère. Dans un mois, je vais avoir trente-trois ans. Alors, j'oscille encore plus dangereusement entre deux perceptions opposées sur ma vie. Tout d'abord, le sentiment d'avoir été arnaquée par la vie, tout en subissant le désespoir d'avoir cru naïvement au dénouement drastique et heureux de ma destinée amoureuse. Puis, à l'opposé, il y a ma reconnaissance. Celle pour tout ce que je possède et qui me rend généralement heureuse. Alors, comme dans un élan d'appréhension de vivre des regrets, je sens l'urgence de saisir les opportunités et d'expérimenter. De finalement trouver mon propre dénouement, de marquer le carrefour où une autre histoire se poursuit.

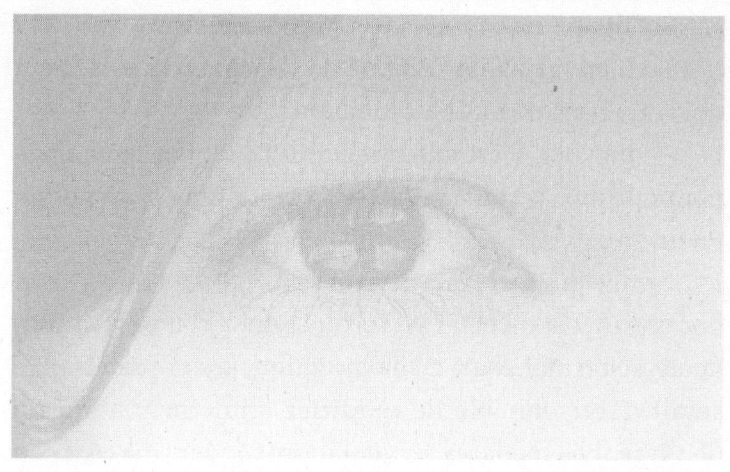

# Gabrielle et son 33e anniversaire

– Gabrielle, qu'est-ce que tu fais ? On va être en retard.

– J'arrive ! Laisse-moi encore quelques minutes pour compléter les notes évolutives du dossier.

– Ça suffit. C'est ton anniversaire aujourd'hui, tout le monde t'attend.

– Oui, oui… laisse-moi finir, je veux partir la tête tranquille, Ariane.

– Dis plutôt que tu retardes le début de la soirée, parce que nous n'avons rien voulu te dire sur son déroulement.

– C'est vrai que je n'aime pas les surprises, mais je tiens vraiment à compléter les notes. Donne-moi quelques minutes et cesse de me parler, si tu veux que je finisse…

— Tu as cinq minutes, je t'attends dehors...

— Mauvaise idée, Ariane. Je te signale que le client qui te menace de mort est toujours libre.

— Ben oui, il est toujours libre et c'est pas une raison pour que moi, je sois captive. Je t'attends dehors, dépêche-toi un peu.

Ariane quitte mon bureau et se dirige vers l'ascenseur. J'hésite un instant et ferme l'ordinateur. Ariane est imprudente, selon moi. Mais en même temps, je comprends qu'il serait déraisonnable de modifier totalement sa façon de vivre. Les menaces servent à provoquer une réaction de peur. Ariane refuse de se laisser manipuler de la sorte. Toutefois, les données démontrent que l'homme a des antécédents de violence importants. Le juge a imposé un interdit de contact avec Ariane, mais une ordonnance demeure théorique, dans la mesure où le principal intéressé ne déroge pas de son plan initial d'agression.

Pour plus de sûreté, je décide de prendre mon sac et de rejoindre Ariane. Elle ne changera pas sa façon de faire, d'accord. Mais moi, je peux laisser le travail de côté, pour éviter qu'elle ne demeure trop longtemps seule, sans la protection des murs.

— Déjà ? Tu as terminé ? dit Ariane

— Non, mais ça peut attendre à lundi. On passe par le duplex ? J'aimerais pouvoir me rafraîchir un peu.

— D'accord Gaby, mais tu n'auras que quelques minutes. La réservation au restaurant est prévue pour dix-huit heures trente. Je vais t'attendre chez moi, tu descends dès que tu es prêtes.

— O.K., on va où par la suite, déjà ? Et qui sera présent ?

– Surprise ! Cette année, fais un effort et garde ta bonne d'humeur... Inutile de nous faire suer. On se souvient tous de la « face de bœuf » de tes trente ans.

– Ça fait trois ans de cela… Reviens-en, Ariane.

Nous quittons le bureau de la Direction de la protection de la jeunesse, à bord de la même voiture. En route, je change frénétiquement les postes de la radio. Ariane ne dit rien, elle sait que je suis nerveuse à l'idée d'une soirée en mon honneur. Je n'ai jamais aimé être au centre de l'attention dans ma vie privée. Pourtant, au travail, je ne passe pas inaperçu et ne vois aucune objection à prendre le contrôle. De l'extérieur, on ne pourrait pas deviner mon extrême timidité. Seuls mes proches connaissent ce trait de caractère. Pour les autres, je semble être extravertie, confiante et parfois un peu arrogante.

Ariane, quant à elle, est différente de moi. Bien que nous soyons régulièrement sur la même longueur d'ondes, nous sommes dissemblables dans nos traits de caractère. Ariane est plus introvertie et difficile d'approche. Elle utilise peu de mots pour exprimer ses pensées et son opinion. Tout comme moi, par contre, elle dégage une présence imposante, malgré son physique délicat. L'on dit souvent, en parlant de l'une ou de l'autre, que notre seule présence remplit entièrement la pièce. Même lorsque nous nous taisons, nos silences communiquent. Alors imaginez lorsque nous sommes côte à côte… Plaisir garanti dans n'importe quel type de réunion. Heureusement, nous avons une patronne qui apprécie notre travail et qui nous fait confiance (elle a également confiance en elle ; là réside la portion la plus importante de l'équation). Nous la soupçonnons de se reconnaître un peu à travers nous.

Ariane et moi sommes amies depuis la jeune vingtaine. Nous nous sommes connues alors que nous étudiions à l'Université Laval, en service social. C'est lors d'un travail d'équipe « imposé » par le professeur que notre amitié a pris naissance. Dès lors, nous avons constaté que nous travaillions efficacement ensemble. Nous réfléchissons selon la même structure de pensées et jamais Ariane ne craint de me contredire, ce que j'apprécie particulièrement.

Après l'obtention de notre baccalauréat, j'ai repris le chemin de Montréal et Ariane est demeurée quelque temps à Québec. J'ai commencé un emploi d'intervenante à la Direction de la protection de la jeunesse, alors qu'Ariane travaillait dans le milieu communautaire comme travailleuse de rue. Ce n'est qu'une année plus tard qu'Ariane a accepté de me rejoindre dans le réseau public, après que je lui ai décroché une entrevue d'embauche dans mon équipe de travail.

Après l'arrivée d'Ariane, nous avons été colocataires durant quelques années. Les relations amoureuses de l'une et de l'autre n'ont été qu'une série de débuts et de fins. Notre amitié, par contre, est demeurée dans le temps.

À présent, nous sommes propriétaires d'un duplex. J'occupe le haut, et Ariane et sa fille, le logement du bas. Ariane a une fillette de quatre ans, Luna. Je suis la marraine de Luna et je suis présente dans sa vie, presque quotidiennement.

— Tu as dix minutes, dit Ariane. J'en profite pour récupérer Luna à la garderie, et la gardienne. Je t'attends chez moi, ne me fais pas trop attendre…

– Dix minutes ! dis-je sur un ton de plainte. J'ai à peinc le lemps de refaire mon maquillage et de me changer de vêtements…

– Tu le savais depuis la semaine dernière, que nous avions rendez-vous à dix-huit heures trente. Tu n'avais qu'à te dépêcher au bureau… Et change d'air, veux-tu !

Je soupire et ferme la porte de la voiture. Décidément, je n'aime pas être dans l'ignorance quant au déroulement de la soirée.

***

– Surprise !

Ariane et moi venons d'entrer dans le restaurant. Presque tous mes amis sont présents. Il y a le groupe des poules, mes copines depuis l'époque de l'école secondaire. Le groupe est composé de six filles au total. Il y a Justine, Rachel, Lily, Victoria et Marie. Justine, l'orthophoniste, est en couple depuis plusieurs années et mère de deux garçons. Rachel, l'avocate, organise les derniers préparatifs pour son mariage. Lily, la psycho-éducatrice et « femme fatale » du groupe, collectionne les amants. Victoria, l'autre illustre avocate et policière, a une vie conjugale depuis de nombreuses années et ce sans enfant puisqu'elle n'en désire pas. Marie, également intervenante comme moi, vient de rencontrer l'homme de sa vie, après des déboires étrangement comparables aux miens.

Le groupe des poules a ses particularités. Les règles d'inclusion et d'exclusion sont claires. D'abord, règle ridicule mais présente : chacune aime s'entretenir physiquement et psychologiquement. Ensuite, dès que nous sommes en contact, nous devenons des « Germaine » ou des « gère et mène » au repos. Nous possédons toutes de solides opinions et une personnalité propre à chacune. Qu'à cela ne tienne, il n'y a dès lors aucune difficulté ni conflit, puisque nous nous assumons et assumons la différence de l'autre.

Il n'y a donc aucune rivalité et encore moins de menaces entre nous. Aucune n'est bouc-émissaire ; qu'une bande de femmes qui peuvent se remettre en question, et ce, à tour de rôle et dépendamment de la situation. Mais le plus extraordinaire réside dans les motifs de l'équilibre du clan. À titre d'exemple, je suis souvent en désaccord avec Justine et elle, réciproquement. Toutefois, je suis la plus protectrice à son égard et elle, même chose pour moi. Lily et Marie ont exactement la même dynamique. Tandis que Victoria et Rachel reproduisent également ce modèle. Donc, trois axes antagonistes, mais tous réunis par un cercle où l'une ou l'autre fait preuve de tempérance et de dédramatisation, dans l'un ou l'autre des axes qui ne les concernent pas. Six femmes qui, malgré leurs différences, partagent essentiellement les mêmes valeurs, la même solidarité. On aurait pu nous envoyer dans n'importe quel conflit mondial, nous aurions été une équipe de pacification du tonnerre. Oui, oui, j'exagère. Pour couronner le tout, nous aimons bien les polémiques, mais surtout, nous avons toutes un peu cette tendance à nous mettre en situation de danger. Pas nécessairement physiquement, mais vous savez… se positionner juste au bord du précipice et apprécier l'adrénaline.

De façon générale, les poules se fréquentent sans les hommes. Nous aimons bien les graines, mais chaque chose en son temps. Comme les discussions sont sans règles ni tabous, nous préférons ne pas avoir de témoins. Mais pour ce soir, les conjoints sont présents pour mon anniversaire.

De l'autre côté de la table, il y a Victor et son conjoint. Victor et moi, nous nous connaissons également depuis l'époque de l'université. C'est une étrange ironie du sort qui a finalement conduit à la naissance de notre amitié. Il faut dire qu'à la base, je n'aimais pas Victor. Victor était le chef de classe et passait son temps à poser des questions. Des questions pertinentes, j'en conviens, mais des questions à l'infini. Comme je suis davantage du type expéditif, je considérais que Victor jouait sur ma patience, semaine après semaine. Victor avait beau tenter de créer un lien avec moi, j'étais totalement fermée à sa gentillesse et à ses efforts. Puis, le temps du stage final arriva. J'avais obtenu une place au sein de la Direction de la protection de la jeunesse. Victor, quant à lui, devait « se faire les dents » en pédopsychiatrie, jusqu'au moment où son stage fut annulé. L'université a donc offert à Victor une place à mes côtés. Il en était ravi, tandis que moi, je me suis littéralement « garrochée » pour demander d'obtenir une autre place, histoire de finir ma dernière année d'études sans sa présence. L'université a refusé ma réclamation et je dus me résoudre à souhaiter qu'il n'occupe pas le même local que moi. Ce souhait ne fut pas davantage exaucé. Au moment où nous suivions le superviseur pour l'octroi des bureaux, je fus exaspérée de constater que nos bureaux respectifs se feraient face, durant plus de trois cents heures. Je me souviens avoir déposé mon sac et avoir eu un peu les yeux dans l'eau, ce que je tentais de dissimuler. Après de longues minutes, Victor avait brisé le silence.

— Je sais que tu ne m'aimes pas, avait-il dit.

— En effet, avais-je répondu.

— Pourquoi ?

— Parce que…, avais-je dit de façon arrogante. Tu me tapes sur les nerfs, avec toute ton exubérance.

— Pas de problème, avait répondu Victor. Moi je t'aime déjà et je vais tout faire pour que ça devienne réciproque.

Victor avait tenu promesse. Il avait répété les gentillesses, les attentions, les compliments. J'avais persisté dans mes tentatives de rester imperméable à son charme. Puis un jour, j'ai compris qu'il était persévérant et surtout, qu'il était un homme de qualité. Dès lors, j'ai accepté de lui faire une place de choix dans ma vie. Je ne l'ai jamais regretté. J'ai depuis ce jour avec lui cette forme de complicité particulière. Celle qui n'est possible qu'avec un homme homosexuel. Mais surtout, Victor est l'homme de la situation pour prendre soin de moi et me supporter dans les moments les plus difficiles.

Au fil du temps, Ariane a également appris à apprécier Victor. Puisqu'elle aussi, à l'époque, l'avait en aversion. Bien que deux cent cinquante kilomètres, approximativement, nous séparent, nous fréquentons régulièrement Victor et son conjoint. Sa demeure est un havre de paix et ses soins, un baume de tendresse… qu'aucun homme hétérosexuel n'a jamais réussi à égaler jusqu'à ce jour.

Toujours à la table, aux côtés de Victor, il y a Marco et sa conjointe. Marco est mon collègue de travail, ainsi que celui d'Ariane. La relation de travail s'est transformée en amitié, particulièrement entre lui et moi. Marco est ce type d'homme calme, sage et profondément heureux. Il est un modèle à atteindre pour moi. Il est compétent et empreint d'une noblesse peu courante. Marco est en couple depuis tellement d'années qu'on a de la difficulté à l'imaginer sans sa conjointe. Ils forment un couple harmonieux et toujours aussi amoureux. Ils ont également deux fils, maintenant adolescents. Une famille parfaite, ai-je toujours pensé.

Il ne manque que trois personnes, afin de compléter le portrait de mon entourage. Alexandra et Jérémie, qui habitent maintenant à Trenton, en Ontario. Puis, Philipe… l'homme presque toujours absent. Philipe, l'amant secret des sept dernières années. L'homme des promesses jamais réalisées. L'homme en couple, avec une autre femme.

– On lève notre verre, propose Ariane. À Gabrielle et ses trente-trois ans. Que la vie t'offre tout ce que tu souhaites, tu le mérites !

– Pis un chum ! crie le conjoint de Justine. Faudrait bien que tu te déniaises… tic, tac, tic, tac… Le temps file et tes ovaires se dessèchent, ajoute-t-il en riant.

– Très délicat, lui répond Ariane.

Il y a un léger moment de malaise. Discrètement, Ariane pose sa main sur mon bras. Tour à tour, les poules, Victor et Marco m'envoient un regard de sympathie. Ils connaissent l'existence de Philipe depuis toujours. Mais pour les autres convives présents, et par souci de discrétion, on évite d'y faire allusion. Je suis donc considérée célibataire depuis de nombreuses années. Même moi, je me considère physiquement de la sorte. Mais côté émotions, je ne le crois pas vraiment.

Ce fut une soirée agréable et bien arrosée. Le mal de tête du lendemain de veille me rappelle que j'ai maintenant vraiment trente-trois ans. Et tic, tac, tic, tac, j'entends de plus en plus dans ma tête le compte à rebours de la deuxième tranche de vie de mon existence.

# Gabrielle et Marie

Mon amitié avec Marie a pris naissance lorsque nous étions à l'école secondaire. À l'époque, nous devions participer à une exposition en géographie. Elle venait de déménager en ville, donc elle m'était étrangère. Lors de la période prévue pour la formation des équipes, Marie s'est tout bonnement avancée vers moi, en me demandant avec qui nous compléterions notre équipe gagnante. Je n'avais pas eu le temps de répondre qu'elle offrait la place à deux autres camarades de classe.

Marie, elle est comme ça. Confiante, sociable, rieuse, enjouée, vive d'esprit et maternelle. Dès les premiers moments du travail en équipe, j'avais eu l'impression de la connaître depuis longtemps. Marie partageait aussi ce sentiment de « déjà vu ». À chaque fois que Marie s'exprimait, j'étais en accord avec elle. Un peu comme si nous partagions un cerveau commun. Elle observait les mêmes événements, portait attention aux mêmes détails, s'amusait des mêmes histoires et ironies de la vie.

Rapidement, nous avons commencé à faire l'école buissonnière. Nous préférions nous rendre à l'extérieur de l'école et faire plus amples connaissances. Malgré nos absences remarquées, soulignées et punies par les parents, nous n'avons jamais regretté cette entaille aux règles. Nous avons continué à développer notre amitié durant les retenues, conséquence de nos absences non motivées.

Les années ont passé et nous avons toujours conservé notre lien. Nous avons même eu l'idée de recommencer notre période scolaire, mais cette fois-ci au niveau de la maîtrise universitaire. Certes, nous avions vieilli, mais nous avions encore notre côté « délinquante » et n'assistions à nouveau que très peu aux cours.

Nous utilisons régulièrement le téléphone… histoire de ne pas perdre le fil de nos vies respectives. Nous discutons de tout et de rien. Nous parlons du travail, de nos interventions, de nos idées pour améliorer notre pratique. Elle me parle de son histoire de couple et de sa famille, je lui parle de mon statut de célibataire. Nous sommes toutes deux passionnées par l'analyse des choses. Un peu comme si nous étions convaincues d'être des pirates informatiques. Des *Lisbeth Salander* nord-américaines cherchant à débusquer la faille dans l'ordre des choses. Sauf que dans notre cas, on cherche la faille dans nos façons de vivre.

Elle est mariée depuis quelque temps. Elle a rencontré son homme dans un bar, au même moment où elle venait de perdre une relation d'amitié importante ainsi que son amant. Elle vit présentement la vie des gens riches et célèbres, ayant un conjoint qui gagne extrêmement bien sa vie. Je me souviens que sa période d'ajustement avec ce nouveau mode de vie sociale a été une période difficile pour elle. Le jour, elle traitait avec une clientèle de femmes sur l'aide sociale. Le soir, elle s'outrageait devant la livraison de la nouvelle télévision hors de prix, pour remplacer celle de l'année précédente. Ses fréquentations avaient également quelque peu changé. Elle fréquentait via son conjoint des gens extrêmement riches et aux préoccupations éloignées de ce qu'elle avait essentiellement connu.

Son entrée au Country club avait été une histoire désopilante. Elle m'avait raconté que les gens craignaient de lui parler. Un peu comme si son métier d'intervenante lui permettait de lire dans la tête des gens. On la trouvait également profonde ; remplie de questionnements sur la pauvreté, sur le sort du monde. Marie se sentait différente, se sentait coupable. Elle ne comprenait pas toujours comment on pouvait vivre de l'anxiété pour une paire de chaussures ou un sac à main griffé, alors qu'en douce elle offrait son salaire pour une panoplie de causes sociales. Elle n'était pas certaine de mériter cette vie de facilité, alors que ses clientes vivaient l'inverse. Mais Marie avait fini par s'ajuster et s'intégrer. Il lui avait fallu de nombreux mois d'efforts et quelques crises existentielles.

Quelques années après son mariage, Marie a mis au monde sa petite fille, Blanche. Une étrange petite copie de mon apparence physique, selon elle. Mon amie ne manquait pas une occasion de me rappeler qu'elle pensait souvent à moi, en regardant sa fille. Elle me disait être rassurée en pensant que son enfant me ressemblerait peut-être « dans son petit monde intérieur ». Vraiment, Marie et moi étions faites pour nous rencontrer. Le plus étrange dans cette amitié, c'est qu'avant de faire la connaissance de son époux, sa vie ressemblait exactement à la mienne. Alors, j'aime bien croire que ma destinée suivra probablement celle de Marie.

Nous avions un rendez-vous téléphonique afin de faire le bilan de ma situation de célibataire. Nos rencontres sont souvent espacées de plusieurs mois. Toutefois, la qualité de nos entretiens dépasse largement l'apport de plusieurs autres de mes relations amicales. Dans mes moments les plus pénibles, lorsqu'elle se sent impuissante face à mes névroses, même Ariane a le réflexe de me référer auprès de Marie. Je la soupçonne d'ailleurs de l'avoir déjà contactée en douce, afin qu'une conversation ou une rencontre aient lieu.

— Alors, me dit Marie. On reprend l'histoire par étape. Est-ce que tu as fait ta liste de ce que tu recherches chez un homme ?

— Oui, Marie, et j'ai fait l'exercice avec sérieux et conviction, mais ça n'a pas fonctionné... faut croire.

L'idée de faire une liste provient d'un de ces bouquins que nous avons lu concernant les pensées positives et les demandes à l'Univers. Il s'agit de déterminer ce que nous recherchons chez un conjoint, de l'inscrire sur une feuille, puis de lire les caractéristiques à chaque soir... durant une période de vingt et un jours. Marie a eu un franc succès avec cette méthode. Au moment où elle a emménagé avec son conjoint, elle a retrouvé sa liste sous son lit. Elle a été impressionnée de constater que Pascal, son mari, répond aux moindres critères. J'ai également essayé cette méthode. Je n'ai pas encore obtenu cette même faveur de la part de l'Univers. Toujours et encore boudée par ce foutu Univers.

— Bon d'accord, reprend-t-elle. Est-ce que tu as fait du ménage dans tes placards pour laisser de la place pour quelqu'un d'autre ?

— C'est fait, dis-je. J'ai passé une journée entière à faire du rangement ; me débarrasser du superflu et laisser autant de place vide que de place occupée.

Cette méthode, encore tirée d'un bouquin, explique que l'Univers n'aime pas le vide. Qu'il s'occupe toujours de remplir les espaces vacants. Comme, en l'occurrence, il s'agit de mes tiroirs, mes placards et mon armoire à pharmacie, le but est d'attirer un homme avec ses effets personnels. Nous avons juste oublié que le plus important est de créer un espace vaquant au niveau du cœur.

— La magie blanche ? rigole-t-elle.

— Pas question, dis-je. Trop épeurant et je pourrais faire erreur et m'encombrer de mauvais mec. En plus, on dit qu'un mauvais sort se retourne contre toi et prend encore plus de puissance. Je n'ai vraiment pas envie de prendre la chance.

— O.K., soyons sérieuses… Gaby, est-ce que tu as pensé t'inscrire dans un cours ou une activité pour célibataires ?

— Oui et non. J'ai déjà essayé les cours de salsa sans me présenter avec un partenaire de danse. J'y ai fait quelques rencontres intéressantes, mais davantage dans le domaine de l'amitié que celui de l'amour. En ce qui concerne les activités pour célibataires, j'ai amplement donné à travers les années.

— Gaby, il y a aussi les activités organisées et structurées sur des sites Internet…

— Pas question pour les activités via les sites Internet. J'ai donné, je te dis.

— Peut-être que tu devrais changer de lieu de travail ? me dit- elle.

— J'y ai pensé, mais je ne pense pas que cela ferait une différence. Tu le sais comme moi, il n'y a que des femmes ou presque dans le domaine. Sinon, les intervenants sont soit homosexuels ou déjà en couple avec une autre intervenante.

— Tu as raison sur ce coup, Gaby. Mauvaise idée. Peut-être que tu devrais retourner voir ton coach de vie ? On ne sait jamais, il y a peut-être un détail inconscient qu'on oublie.

— Ah non ! J'ai passé plusieurs années sur la chaise à arranger mes « bibittes ». Je me connais par cœur ; je connais mes zones noires, mes zones grises et mes zones de couleur. Tu sais à quel point j'adore littéralement ce coach. C'est la meilleure intervenante au monde et personne ne lui arrive à la cheville. Même son livre est excellent. Mais là, j'ai vraiment envie de faire les choses par moi-même. De toute façon, j'ai l'impression que plus je suis en contrôle et informée, plus je m'enferme dans une bulle inaccessible. Pire encore, je rationalise tout et je ne vis rien… aucune émotion. Je pense qu'il faut que je prenne une pause de thérapie. Je te rappelle que nous avions conclu, à la fin de mon suivi, que peut-être mon problème était maintenant au niveau spirituel. Je manque de foi, d'espoir. Vu ma situation… je ne serais pas surprise qu'elle ait raison, encore une fois.

— Tu pourrais te convertir dans un autre type de religion, me dit-elle. On ne sait jamais, il y a peut-être un bassin d'hommes intéressants.

— Ben oui ! Je me vois en femme voilée ; mieux encore, je m'imagine faire du porte-à-porte le samedi matin, en annonçant la bonne nouvelle avec mes petits dépliants : Réveillez-vous !

— Le bouddhisme, tu y as pensé ; il paraît que la morale de cette religion est intéressante.

— J'y ai pensé ! dis-je. Je prévoyais faire cette exploration après mon prochain voyage en Inde, que j'espère faire avec mon homme.

— O.K., alors peut-être… un groupe d'alcooliques anonymes !

— Franchement Marie ! Qu'est-ce que tu veux que j'aille faire là… je ne bois même pas. En plus, je n'ai pas envie de me ramasser avec quelqu'un qui a un problème d'alcool !

— Ouais, pas fort en effet. Alors… peut-être que tu pourrais retourner à l'université ?

— Tu as la mémoire courte ! Quelle période pénible que celle de la maîtrise. Une chance que tu y étais, parce qu'il faut que je cherche loin pour trouver d'autres conséquences positives de ce processus.

— Tu as fait le tour de ton réseau social…

— Oui, dis-je. Gardant en mémoire les nombreux *blind date* ridicules de mon histoire.

— Quand tu fais du ski ?

— Pas grand-chose à dire; faut avouer que la morve au nez et un style douteux en descente... ce n'est pas vraiment séduisant et attrayant.

— Mais les bars de l'après-ski ? Tu as essayé ? me demande-t-elle avec espoir.

— Oui, pas grand-chose à dire non plus à ce sujet. Surtout que mes partenaires de ski sont en couple et mère de famille. Alors on ne s'attarde pas trop après la journée.

— Le centre d'entraînement physique, alors ?

— Encore une fois, la réponse est oui... j'ai essayé. À cause de mon horaire, je m'entraîne souvent en compagnie de femmes enceintes et de personnes âgées. Durant mes heures de disponibilité, les hommes n'y sont pas. Tu le sais que je ne fais pas d'exercice après dix-huit heures trente. Ça me rend davantage insomniaque. Et si je ne dors pas... rien ne va plus.

— Si tu retournais voir une voyante ? Elle aurait peut-être une réponse...

Les voyantes ! Bouée de sauvetage lors de mes moments d'incertitude profonde. J'ai toujours considéré que cette science était tout... sauf exacte. Par contre, je pense aussi que parfois, lorsque l'on croit vraiment aux informations reçues, on fait en sorte que cela devienne réalité. Elles étaient unanimes me concernant, et ce, depuis de nombreuses années. J'avais une destinée particulière. Je remplissais sur Terre le rôle de messagère. J'étais entourée d'un paquet d'entités qui guident mes pas, jour après jour. Flatteur... le seul problème que j'y voyais, c'est que les messagers se font toujours « tirer ». À quoi bon se sacrifier continuellement si la vie ne nous comble pas au niveau du cœur ? On m'avait répondu d'être sans crainte.

J'allais aussi le rencontrer, mon homme, mais sur le tard. Une de ces femmes s'était même avancée en me disant que cela se produirait en 2012.

J'avais été horrifiée par cette date. 2012 : ne sommes-nous pas sur le point de mourir à cette date ? En espérant que la rencontre soit en janvier, histoire de profiter d'au moins trois cents jours en sa compagnie. Elle avait tenté de me convaincre que ce n'était pas grave. Que moi j'étais prête, mais pas lui. Qu'il valait mieux que le temps passe et d'en profiter, au lieu d'angoisser. Parce qu'après coup, il serait à mes côtés jusqu'à la fin... Ouais, la fin des temps ! Entre temps, je ferais la connaissance d'autres hommes, mais ça ne fonctionnerait pas. On m'a aussi prévenue que j'écrirais beaucoup de livres à succès. De me préparer à l'idée de sortir de l'ombre, moi qui n'aimais pas être sous les projecteurs. Je voyagerais à travers le monde régulièrement et jamais je ne serais dans le besoin d'un point de vue financier. Puis, un jour, vers la fin de la trentaine, j'aurais une fille et demie. La demie étant une enfant issue d'un autre utérus que le mien. J'avais alors demandé s'il s'agissait de l'enfant de ce «futur conjoint». Elle m'avait dit que non. Qu'il s'agissait d'une enfant que je connaîtrais dès sa naissance et dont je serais très proche. Elle m'avait parlé d'une filleule, en fait. Mais comme mon frère est homosexuel et que Luna n'était pas encore née, j'avais conclu en silence que la voyante était une folle.

— Bof... tu sais Marie, elles me disent toujours la même chose. De toute façon, je suis dans une période de scepticisme important.

— Je n'ai plus d'idée Gaby. Vraiment, ta situation me laisse perplexe. Tu es, d'après moi, l'exception qui confirme la règle. Qu'en est-il de ton histoire avec Philipe... quoi de neuf ? Il est toujours avec sa greluche ?

— Rien de neuf... et je ne sais pas s'il est toujours avec elle, j'imagine que oui. Je ne veux pas parler de lui maintenant, Marie.

— D'accord, ma chérie. Déménager... As-tu songé à déménager ?

— Pour quoi faire ?

— Tu sais, ta proximité avec Ariane et Luna, ça ne laisse pas beaucoup de place, me dit-elle.

— Aucun rapport. De toute façon, je ne peux pas sortir de la vie de Luna de cette façon. On ne s'introduit pas dans la vie d'un enfant dès sa naissance pour quitter par égoïsme.

— Gaby, on dirait que tu parles comme une femme qui voudrait quitter son conjoint, mais qui reste à cause des enfants.

— Peut-être... mais je ne vois pas en quoi prendre le risque de partir pourrait m'aider à rencontrer quelqu'un.

— Je ne sais pas... Ce que je sais, par contre, c'est que c'est exactement ce qui s'est produit, au moment où j'ai cessé d'être aussi proche de Chantale. Tu te souviens ?

— Je m'en souviens. Je me souviens aussi de ta peine d'amitié ! Aussi difficile à vivre qu'une peine d'amour. Tu as été chanceuse, Marie... tu l'as rencontrée rapidement, ton homme, par la suite. Il a aidé à passer la tristesse du début et toute la colère que tu vivais. Heureusement qu'il était ton pairage parfait... Mais contrairement à toi, je ne suis pas en conflit avec Ariane. C'est peut-être un élément important de l'histoire. En tout cas, prendre la décision volontaire de partir, c'est différent de partir parce que rien ne va plus.

– Peut-être, Gabrielle. Je ne sais pas trop.

Nous concluons le sujet de discussion avec un soupir de découragement. Marie se souvient de ce qu'est la crainte de la solitude pour le reste de sa vie. Elle est encore en mesure de se rappeler ses pleurs, son anxiété, ses doléances. Elle a encore en mémoire toutes les réflexions et les pertes d'espoir. Marie est empathique à ma cause. De ce fait, elle apprécie encore davantage sa vie avec son Pascal et sa Blanche, et ce, malgré les tracas quotidiens de la vie en famille. Elle ne retournerait en arrière sous aucun prétexte. Elle souhaite définitivement la même tournure de destinée pour moi. Pourtant, ni elle ni moi n'avons vu que même si nous parlons pendant des heures de ce sujet, la solution idéale équivaut à rechercher une aiguille dans une botte de foin. Non seulement il existe une multitude de motifs pouvant expliquer ma situation, mais en plus, il existe aussi la possibilité que ma structure de personnalité soit également une des causes invisibles envers ma conscience.

# Gabrielle et les vacances

En tant que célibataire, je considère que la planification de mes vacances est souvent une source d'anxiété. Alors que tous attendent avec plaisir ce moment, la réalité est différente pour moi. Bien sûr, comme tout le monde, j'ai besoin de prendre une pause de mon travail et faire autre chose de mon temps. D'ailleurs, j'ai tendance à faire un décompte des derniers jours avant de mettre la clé sous la porte. J'avoue : il m'arrive aussi de terminer certains de mes suivis psychosociaux, en me disant : « Juste de ne plus te voir la face pour le prochain mois... les vacances en valent la peine ». Dans la dernière semaine de travail, je me couche de plus en plus tard et je me dis : « Je reprendrai les heures de sommeil prochainement ».

Le problème est davantage à un autre niveau. Celui de planifier puis de remplir le temps qui lui, me sera totalement libre. Ariane me dit que c'est génial de ne rien faire et de prendre du repos à ma convenance. J'acquiesce sans trop y croire parce que je suis lasse de cette même conversation. Je pense au même moment qu'il doit certainement exister ce genre de plaisir, mais seulement si tu es en couple ou mère de famille. Pourquoi ? Parce qu'il y a cinquante-deux semaines dans une année et que j'utilise donc cent quatre jours de week-end pour faire exactement cet exercice.

Moi, ce qui me fait réellement plaisir durant mes vacances, c'est voyager. J'aime tout du voyage. Les longues semaines d'attente avant de prendre le vol. Les recherches sur la destination afin de mieux en profiter. Les événements cocasses qui arrivent immanquablement. Mais surtout, j'adore découvrir la nouveauté, la culture, les habitants, les croyances. Je ne retourne que très rarement vers les mêmes destinations, sauf pour Cuba. Davantage pour les besoins de la cause que par intérêt. Chacun de mes voyages a toujours été, ou presque, une fontaine de bonheur qui me remplit temporairement le cœur et la tête. C'est un de mes trucs, je crois, pour camoufler le vide qu'il m'arrive de ressentir de temps en temps. De cette façon, même si c'est un peu métaphorique, je termine mon année sans prise de médication ou de congé de maladie pour dépression nerveuse. En fait, le processus de partir et de ressentir devient toujours plus important que la destination.

Mais en même temps, je vois les périodes de vacances comme étant une source d'anxiété. L'appréhension prend place des mois avant le début de « ces dites » vacances. Dès février, en fait, au moment de choisir les semaines de congé. Là commencent les réflexions.

Dois-je les prendre en juin, en juillet ou en août ? Si je rencontre un homme d'ici là, comment puis-je m'assurer d'avoir de bonnes chances de pouvoir en profiter en même temps que lui ?

Peut-être devrais-je convoquer un souper de poules puis, discrètement, demander la période de vacances la plus populaire dans mon groupe d'amies. Je sais bien qu'elles passeront leur temps avec leur conjoint et les enfants, mais admettons qu'il pleuve beaucoup et qu'il ne reste à peu près rien à faire… alors je pourrais certainement m'inviter.

Peut-être devrais-je prendre mes vacances dans une période où les voyages dans le sud sont à rabais. Ça pourrait être une idée. Le seul problème c'est que je ne voyage jamais seule. Je m'imagine m'exclamer devant la beauté de La Havane… seule. Discuter… seule. Prendre des photos… seule. Aller au restaurant… seule. Entrer à l'hôtel… seule. Juste l'idée me fait sentir pathétique.

Je ne suis pas une solitaire et je n'ai absolument pas besoin d'exporter cette solitude dans un autre pays. Même dans une autre langue, la solitude fait le même effet. Même sous le soleil, sous la pluie, on la ressent de la même façon. Faux en fait, on la ressent encore plus solidement. Particulièrement lorsque l'on s'aperçoit qu'on est perdu sur une plage, entre les familles et les couples. Pire encore, lorsqu'il pleut, au lieu de faire l'amour… on regarde la télé ou on lit un livre… seule.

— Mais tu pourrais rencontrer des gens ! T'amuser follement, me dit Ariane.

C'est vrai. Mais je pourrais aussi ne rencontrer personne. Lorsque je suis à la maison, je peux toujours descendre chez elle. De cette façon, je peux encore vérifier si je suis la seule vivante sur la planète. Donc, en faisant le calcul, il me semble que les pertes seraient supérieures à mon état actuel. Je sais que j'ai probablement tort, mais je suis bloquée avec cette idée et ce sentiment. Alors, la plupart du temps, je ne voyage tout simplement pas.

L'année dernière, par contre, ce fut mon année voyage. J'ai eu trente-deux ans, chiffre « presque rond », comme toutes les autres poules. C'est pourquoi nous avons décidé de fêter l'événement en grand. Durant des mois, nous nous sommes échangé des courriels et nous avons multiplié les rendez-vous. Nous avons discuté, négocié et feuilleté les brochures de voyages.

Puis, le choix s'est imposé de lui-même. Pour nos trente-deux ans, nous avons opté pour la Riviera Maya. Nous avons embarqué pour un vol vers le Mexique et nous sommes descendues au *Princess All Suit Hotel* (un cinq étoiles avec un nom à la hauteur de ce que nous sommes), et ce, sans enfants ni conjoints.

Quel beau voyage ! La mer, le site, le soleil, les hommes (un peu jeunes... mais nous paraissions dix ans plus pimpantes). Nos chambres s'alignaient les unes à côté des autres, nous étions deux par chambre, pour un total de six Québécoises bien décidées à profiter pleinement du séjour.

Le mode de vie commun était assez simple. Debout vers huit heures pour le déjeuner, plage vers neuf heures trente pour le bronzage et la baignade en mer. Quelques parties d'échec assises sur les magnifiques chaises longues, face à la mer. Discussions, papotages, lamentations communes. Dîner vers quatorze heures afin d'accompagner les nombreux cocktails. Encore de la plage ou de la piscine jusqu'à dix-sept heures (afin de parfaire le bronzage et s'assurer d'être brunes au retour... histoire d'écœurer ceux qui sont restés au Québec, dans les journées estivales de froid et de pluie). Retour à la chambre afin de commencer le processus de «poupounage» et les appels à la maison pour les mamans et les conjointes. Rendez-vous vers dix-huit heures trente dans l'une ou l'autre des chambres, afin de compléter les maquillages et s'assurer que personne ne porte du linge similaire. Séance de photos pour les souvenirs et pour souligner l'apport des crèmes antirides. Départ vers l'un des nombreux bars pour l'apéritif, précédé d'une longue marche sur un site totalement enchanteur. Souper vers les vingt et une heures, dans l'un ou l'autre des restaurants gastronomiques. Beaucoup de vin et d'apéritifs lors du repas. Puis, les poules entrent en scène à la discothèque vers vingt-trois heures, convaincues que malgré notre âge, nous sommes comparables à la jeunesse dans la vingtaine. Sauf qu'aucun jeunot ne semble dupe au moment où les similis Britney Spears, également en vacances, arrivent vers minuit.

Nous sommes six poules en vacances et on s'amuse à se sentir encore jeunes, malgré notre conscience que l'eau coule sous les ponts. Conscience d'autant plus présente depuis le moment où Justine nous avait annoncé qu'elle était en attente d'un diagnostic pour un cancer du sein. Il y a de ces informations qui donnent un électrochoc drastique. Le genre d'information qui vous remet en plein visage les plus grandes questions de votre existence. Qui suis-je, que veux-je, que peux-je et pourquoi ? Le genre de nouvelle à faire pâlir notre bronzage en un instant. Des heures d'insomnies en perspective. Mais en attendant, il y a aussi cette urgence de vivre, de profiter au maximum de la présence de l'une et de l'autre.

Si la vie nous rappelait à l'ordre, quant à notre passage succinct sur cette terre, nous options pour l'affronter debout, comme les femmes que nous étions. Dès lors, nous avons opté pour le circuit Tulum Extrême comme expédition et activité du lendemain. Au menu du jour : visite du site archéologique de Tulum, plongée sous-marine en grotte souterraine, tyrolienne d'une hauteur dangereusement élevée et qui inclut l'impossibilité de survivre à une chute. Pour conclure la fin du trajet, une activité de descente de précipices. Pour des filles atteintes de vertige ou de claustrophobie, personne ne s'est présenté à cette journée sans sa petite peur dans sa sacoche. Peut-être était-ce une façon un peu maladroite de faire savoir à Justine que nous étions solidaires et qu'elle n'était pas seule.

Lors des deux précédentes journées, nous avions pris une dose importante de soleil. Je me suis donc levée le matin de l'expédition avec des lèvres aussi pulpeuses qu'Angelina Jolie. De plus, comme ma vessie semble sensible aux bains publics, il fallait également que je débute une infection urinaire.

Initialement, nous avions réservé un guide francophone et évidemment, il était anglophone. Premier incident de la journée : question règles de sécurité, nous n'étions pas convaincues que nous serions en mesure de bien saisir les consignes d'un Mexicain au fort accent. De plus, des poules ensemble qui sont légèrement terrorisées... ça n'écoute pas très bien.

Deuxième incident de la journée : le minibus est complet et nous devons nous empiler les unes sur les autres. Dans le but de m'éviter un certain désagrément et un mal des transports, j'opte pour m'asseoir à l'avant... juste à côté de notre guide mexicain qui subit mon air de mécontentement.

Troisième incident de la journée : le Mexicain se permet de me souligner que je suis en vacances et que mon sourire serait apprécié. Je le regarde avec mes yeux de tueuse et lui envoie mon sourire le plus agressif possible.

Quatrième incident de la journée : le Mexicain me trouve amusante et me fait un clin d'œil. Vraiment, je ne dégage aucune autorité et j'ai un léger sentiment d'humiliation. Bof, il est mignon...

Cinquième incident : je suis terrorisée par l'eau et la proximité des stalactites et des stalagmites. Mon Mexicain, par contre, nage comme un poisson. Vraiment, je dois l'admettre : il n'est pas mignon, il est magnifique dans son petit Speedo. Moi par contre, je nage comme un petit chien. Je suis persuadée que je vais mourir le crâne fracassé par un de ces pics qui m'empêchent parfois de sortir la tête de l'eau.

Sixième incident : je tente de faire preuve de bravoure et de « style » et me lance dans le vide. Il faut comprendre que le Mexicain est finalement très attirant et, combinée à l'adrénaline... la libido se fait criante. Lorsque je vois les photos à la fin du parcours de la tyrolienne, je ne vois que mon visage de terreur, mes cheveux séchés comme si j'avais été attaquée par un lézard géant proactif, le tout sous un beau casque jaune fluo. Côté style et coquetterie... on repassera. Je semble être sur le point de m'écraser furieusement contre un arbre, alors que je tourbillonne dans les airs.

Septième incident : l'accumulation de ces « incidents » ressemble étrangement en chemin de croix. La passion selon Gabrielle... Lors de la descente en rappel, les courroies sont exactement positionnées pour mettre en valeur des amas de graisse plutôt invisibles habituellement. Mon Mexicain me sourit toujours, par contre. Je crois que je l'amuse toujours, alors que je préférerais le mettre dans mon lit. Discrètement, j'occupe mon attention à positionner mes mains afin de camoufler les bourrelets.

Huitième incident : là vraiment, le Mexique est à la frontière de l'enfer. Lors du trajet vers l'hôtel, le Mexicain passe à l'attaque et me courtise ouvertement. Je suis contente. Enfin un événement qui pourrait mettre fin à mon abstinence sexuelle forcée depuis que j'espace mes rencontres avec Philipe. Nous nous échangeons nos coordonnées et il m'invite à le rejoindre en ville, le soir même. Tout cela sous le regard d'un connard américain qui lance des whouuuu ! whouuuu ! Il n'a rien perdu du « flirtage » et se croit obligé d'alarmer l'ensemble des occupants du minibus. Il n'en faut pas davantage pour que mes copines se mettent de la partie et s'invitent en ville par le fait même. On m'explique que c'est histoire d'assurer ma protection en pays étranger. Je les soupçonne davantage d'espionnage, dans le but d'être témoin d'une autre de mes célèbres aventures burlesques, ou encore de critiquer mes techniques de séduction. N'oublions pas que Lily est présente et qu'il ne lui aura fallu que quinze minutes pour décrocher un rendez-vous avec le guide de l'autre groupe. Elle est trop forte, cette Lily ; une championne de la chasse à l'homme.

Premier drame de mon aventure mexicaine. Lors du retour à l'hôtel, je suis légèrement euphorique et je remercie le ciel. Je trouve le Mexicain séduisant, son côté téméraire m'allume comme une torche trempée dans de l'essence enflammée. La chimie entre nous est totalement sexuelle et je suis partante pour une baise à saveur épicée... Holé ! Je palpe mes lèvres de plus en plus douloureuses et en allant aux toilettes, je constate que j'urine du sang. Les phéromones sont des antidouleurs insoupçonnés. Dès cet instant par contre, je sais que je vais nécessiter la proximité des toilettes.

Deuxième drame. Je prends ma douche et choisis mes vêtements avec soin (particulièrement mes sous-vêtements). Je débute ma séance de maquillage et constate avec effroi que j'ai des irruptions purulentes sur les lèvres. Appel d'urgence auprès de Lily, située dans la chambre adjacente. Elle arrive rapidement, je m'assois sur le bord de l'évier, elle m'ausculte. Le diagnostic est prompt et cruel. J'ai une éclosion de plusieurs feux sauvages, et ce, pour la première fois de ma vie. Je suis dans le déni. Lily fait un appel à tous et je me retrouve assise parmi mes cinq copines. À tour de rôle, chacune observe l'étendue des dégâts. Le vote final est sans appel : j'ai des feux sauvages et on m'informe que je suis en période de contagion.

Troisième drame. Je suis en colère et me lève rapidement. Je ne vois pas la valise qui traîne dans le passage. Je m'enfarge et tombe vers l'avant. Je suis arrêtée par la porte de la chambre de bain et sa poignée vise parfaitement mon arcade sourcilière gauche. En deux temps trois mouvements, j'enfle et me retrouve avec une prune immense au dessus de l'œil. Lily, pour me consoler, me dit que je ne saigne pas…

Conclusion des incidents et des drames. Je peux baiser un Mexicain totalement « hot ». J'ai un rendez-vous en ville dans un bar branché. J'ai une infection de la vessie, des feux sauvages et une prune au visage. Nous avons beau tourner la situation dans tous les sens, mon rendez-vous de la soirée semble s'avorter de lui-même. Ne pas être à mon meilleur est une chose, contribuer à la propagation de la maladie du baiser en est une autre. Bien sûr, j'aurais pu aller danser et discuter toute la soirée, dans un anglais approximatif… fuck ! fuck ! FUCK !

J'ai donc annulé et fait état de ma frustration durant tout le reste du voyage (il ne restait que deux jours et pas moyen de guérir en ce laps de temps). Ce n'était pas mêlant, mon corps criait littéralement à l'injustice. Acte manqué, vous croyez ? Peut-être, qui sait. Philipe, il y a des fois où je te hais.

Durant les deux derniers jours, Victoria a saisi toutes les occasions afin de me consoler. Son argument favori consistait à me convaincre que j'avais peut-être évité un drame épouvantable. Ma policière favorite me faisait état de nombreuses statistiques et d'histoires de meurtres et d'agressions en pays étranger. Elle m'indiquait également, en toute sincérité, « que si nous avions été au Québec, j'aurais pu compter sur elle pour me sauver des griffes d'un «psychopathe» ». Mais ici, au Mexique, la situation aurait été différente, compte tenu de ce qu'elle savait des corps policiers mexicains. Je l'ai regardée, perplexe, sans vraiment lui donner raison. Comme toujours, pensai-je, « elle est égale à elle-même... l'incarnation de la raison en personne ». Finalement, je l'ai légèrement laissée me convaincre, puisqu'elle m'offrait exactement le motif pour mettre fin à ma culpabilité concernant l'idée de mon possible « acte manqué ». Sans s'en rendre compte, elle me donnait la permission de croire que toute cette histoire complexe n'avait été qu'un signe que quelqu'un tout là-haut m'avait peut-être protégée. Mais malgré tout, je tiens toujours aujourd'hui à réaffirmer avoir été victime d'une injustice céleste, encore une fois !

Pour clôturer le tout : retour des vacances et bilan des activités avec mes collègues de travail. Et puis, tes vacances ? Tu t'es amusée ? As-tu finalement rencontré quelqu'un ?

Oui, je me suis amusée chastement et non, je n'ai rencontré personne (ou presque). Bien sûr que j'ai profité de la température et que le Mexique est magnifique. Assurément, le voyage en valait la peine et nous avons eu du bon temps. Pas d'aventure mexicaine à l'horizon ? Non, pas vraiment, juste une éruption mexicaine. Qu'est-ce qu'on va faire de moi et de mon célibat ? Ha ! Ha ! Ha !, j'aime tellement ces petits commentaires insignifiants. Je suis certainement trop difficile, à les entendre ; faudrait peut-être que je baisse un peu mes standards... ça aiderait à pouvoir descendre mes culottes. Vraiment, l'entourage est d'une délicatesse déconcertante.

Heureusement, Victor est toujours prêt à m'accueillir pour me plaindre durant le week-end suivant. J'ai droit à un souper, un bain, un massage et surtout, une soirée bien arrosée à refaire le sort du monde et de la vie. Particulièrement mon propre sort et ma propre vie. Je suis célibataire de façon involontaire, l'avais-je mentionné ?

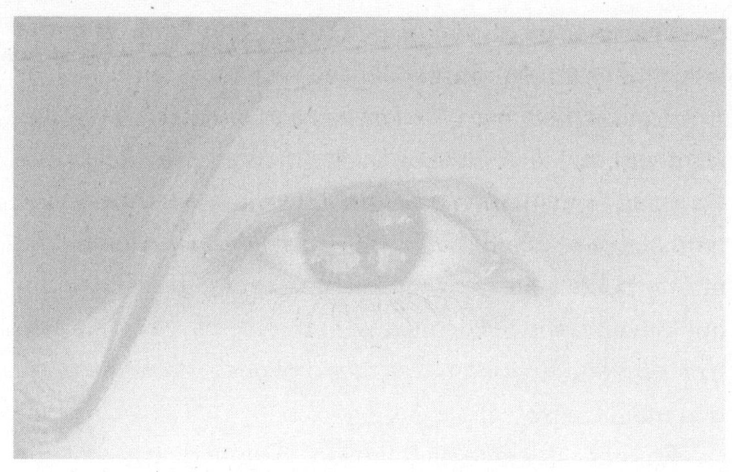

# Gabrielle, Internet et les réseaux de rencontres

Bon ! Je suis devant mon ordinateur et j'ouvre la bête. Je prends mon courage à deux mains. Je suis célibataire, dois-je me le rappeler, depuis trop longtemps et il faut que ça change. La vie en solitaire c'est parfois bien, mais je n'arrive pas à me convaincre que c'est pour moi. Comme la mode est au clavardage et bien, suivons la vague. J'ai toujours préféré les bonnes vieilles méthodes du regard et du jeu de la séduction en personne. Mais comme je ne sais plus trop où aller et à quel endroit il faut que je sois vue… Internet me paraît être une bonne solution. De toute façon, je n'ai pas le choix, j'ai épuisé toutes les rencontres possibles à travers mon réseau social. En plus, il faut que je sorte Philipe de ma tête définitivement.

Il m'arrive encore de fréquenter les bars, mais plus rarement que dans ma jeune vingtaine. Il me semble évident que j'y avais davantage ma place que maintenant. À mon âge, je préfère les 5 à 7 et les clubs de danse latine, qui me rappellent mes voyages. Je n'ai jamais rencontré qui que ce soit dans ces contextes. Peut-être parce que je suis trop occupée à papoter avec mes copines… et que je danse très mal la salsa.

En tout cas, trêve de réflexion, je tente de trouver une façon de me présenter pour attirer uniquement les hommes honnêtes, travaillants et solides. Bref, attirer le même gars qu'une autre fille essaie d'attirer aussi, à partir du même site que moi. Je fais ici cette déduction parce que j'imagine mal qu'une femme veuille expressément un trou du cul, alcoolique, misogyne et pervers. Quoique cela se puisse… ils ne sont pas tous célibataires, ces « petites bêtes ». Je le sais, parce que je reçois quelques-uns de ces spécimens au bureau, en compagnie de leur conjointe. Mais là n'est pas la question. Il est impératif que je ne pense pas trop à ce que j'entends lors des thérapies… sinon le courage va me fuir.

Mais… tout d'un coup que j'attire un de ces spécimens sur ma propre personne ! Non, impossible, j'en prendrais conscience rapidement. Mais… tout d'un coup qu'il est excellent manipulateur, en plus d'être séduisant ! Peut-être alors que mes hormones ou ma solitude feraient fi de ma perspicacité… après la *Guerre des étoiles*, je me retrouve en pensées dans une scène du « Cyber-mâle attaque », scénario de Gabrielle, mettant en vedette… Gabrielle.

Co-scénarisé par Victoria, puisque je l'entends constamment me raconter les nombreuses enquêtes d'agressions ayant toutes comme point de départ ces sites de rencontres par Internet.

Je me concentre et chasse de mon cerveau toutes ces histoires m'empêchant de parcourir l'infinité du net à la recherche de mon homme. Finalement, je me résonne en me disant que mourir attaquée au bureau ou mourir dans une rencontre amoureuse, les deux se valent très bien au fond. En plus, j'ai entendu dire par quelqu'un qui connaît quelqu'un qu'elle aurait rencontré son mari de cette façon. Alors pourquoi pas moi ?

Alors, allons-y. D'abord, je coche les caractéristiques générales. **Surnom** : pas d'idée… ça me prend quelque chose de « punché » mais représentatif ; j'y reviendrai. **Statut** : célibataire… tabarnak ! **But sur le réseau** : ben l'amour ! Je ne manque pas d'amis… **Nombre d'enfants** : 0… et pas par choix, bout de crisse ! **Désire des enfants :** oui… mais pas avec n'importe qui. **Apparence** : très bien… en comparaison avec une lépreuse. **Situation financière** : aisée… si je pense à certains pays du tiers-monde. **Niveau de scolarité :** Baccalauréat… si j'annonce ma maîtrise, ça pourrait être intimidant. **Couleur des yeux** : verts… baby ! **Couleur des cheveux** : noirs… ça, c'est simple.

**Description :** Je suis une femme intelligente, positive, cultivée et généreuse. J'ai une vie remplie et heureuse. Mon cœur est extensible et je recherche un homme pour prendre la place vacante et disponible (presque… mais ça, je le garde pour moi). J'aime les sports, le cinéma et les voyages. On me dit de belle apparence et féminine.

**Ce que je recherche :** La chimie entre deux personnes est quelque chose de magique et d'important pour moi. Sans elle, tout devient trop complexe et c'est exactement ce que je veux éviter. Je n'ai pas nécessairement beaucoup de critères spécifiques en tête, mais sans photo… je ne répondrai pas.

Et hop, je mets ma photo (légèrement de profil… je ne voudrais pas être nécessairement reconnue, sans toutefois faire de la fausse représentation) et opte finalement pour le surnom : altruisme 1977. J'ai ouvert le dictionnaire et pigé au hasard. Je suis tombée sur le mot «hétérocentrique», mais il m'apparaît que son synonyme est plus évident, afin d'éviter toute confusion…

Puis, je ferme l'ordinateur. Tel un braconnier, je reviendrai faire le tour de mon piège à homme dans les prochains jours. En espérant que la chasse sera bonne et que le gibier sera de qualité.

***

O.K., nous sommes quatre jours plus tard. Je suis un peu anxieuse parce que je m'apprête à retourner sur le site de rencontre. Je ne sais pas trop à quoi m'attendre et j'admets que ce serait la fin du monde si personne n'avait visité mon profil. J'aurais l'impression de vivre un rejet virtuel.

Wow ! On a visité mon profil à huit cent quarante-huit reprises. J'ai trois cent vingt-huit messages ! Pas pire score… c'est comme de dire qu'un peu plus d'un homme sur trois me trouve mignonne (c'est sûrement pas pour mon texte, on s'entend). Bon, je fais quoi là maintenant…

j'en ai pour des jours à regarder tout ça. Il faut absolument que je descende chez Ariane pour lui demander conseil. Je prends en même temps le téléphone et j'appelle aussi Victor. À trois têtes, on devrait trouver une solution.

Plusieurs heures plus tard, je reviens devant l'écran avec mon plan de match. Il est entendu que je vais éliminer directement selon certains critères. En premier lieu, tous ceux qui n'ont pas de photos. Ensuite, tous ceux qui ne me plaisent pas physiquement (ben j'ai le choix, alors autant en profiter). Dans le même paquet, tous ceux qui ont des enfants (je ne me vois pas dans le rôle de belle-mère). Ensuite, tous ceux qui n'ont pas un minimum de Baccalauréat (on peu perdre la beauté, l'argent, mais jamais son instruction). Aussi, tous ceux qui écrivent en faisant beaucoup de fautes d'orthographe (ben quoi...ils le disent que c'est important de bien savoir écrire, en tout cas, ma mère me l'a suffisamment dit). Finalement, je supprime tous ceux qui mesurent moins d'un mètre soixante-quinze (je mesure un mètre soixante-dix... sans mes talons).

Plusieurs heures plus tard, je termine mon exercice et il ne reste que cinquante candidats. Alors, j'entreprends le jeu des messages et des re-messages. Bien que les conversations soient sensiblement les mêmes d'un à l'autre, le seul hic est de bien se souvenir des noms qui vont avec les surnoms. Alors, pour plus d'efficience, j'ai une liste sur mon babillard contenant les associations : surnom et caractéristiques. Je n'ai pas le temps de relire continuellement le fil des conversations virtuelles. En plus, comme ils ont tendance à être très rapides pour fournir leur numéro de téléphone, je les ajoute au fur et à mesure.

Finalement, j'ai ouvert mon agenda et j'ai casé une rencontre avec chacun des quinze candidats retenus. Le processus pour se rendre jusqu'à chacune de ces rencontres est assez ennuyeux. Je vous ferai donc grâce de cette description. Par contre, garder en mémoire que l'ordre des rencontres était déterminé par les disponibilités de chacun et surtout, de la rapidité avec laquelle l'invitation pour un café me parvenait. Je sais que de l'extérieur, le tout peut paraître assez «consommation rapide» (c'est un peu le cas). Mais pour ma défense, j'ajoute que j'ai vraiment eu un certain plaisir à échanger les courriels et qu'à plusieurs reprises, j'ai eu cette impression d'avoir peut-être trouvé l'âme sœur. Philipe, tu es sur le point d'être détrôné définitivement de ma vie… Yé!

Voici le compte-rendu de ces rencontres.

Candidat numéro 1, avocat et célibataire depuis quelques mois. Comme c'est le premier, je l'ai rencontré à deux reprises pour être bien certaine de devoir l'éliminer. La première fois que je le rencontre, je suis très nerveuse. J'ai un système de protection rapproché (Victor et Ariane sont à quelques tables de moi, de façon incognito… même si je les entends rire à gorge déployée parce qu'ils ne manquent pas un mot de la conversation, ni aucun geste d'ailleurs). J'ai également en tête tous les conseils de Victoria sur «l'art» de laisser beaucoup de traces d'ADN afin de faciliter l'enquête policière, advenant le cas où je suivrais l'un ou l'autre des candidats et qu'il s'agisse en fait d'un maniaque en liberté. Fin de la première rencontre, après que mon candidat ait parlé toute la soirée de sa passion pour le rhum, le vin, le whisky et j'en passe. Je me dis qu'il devait certainement être nerveux, c'est ce qui explique le fait qu'il a bu quatre bières, alors que je terminais encore ma première. Je le trouve mignon, mais aucune chimie à l'horizon.

Deuxième rencontre. J'ai un système de protection un peu moins rapproché, mais toujours les conseils de Victoria en tête. Il est entendu qu'Ariane et Victor appelleront à tour de rôle sur mon cellulaire, avec un espacement d'exactement une heure dix minutes (un chiffre rond, ça fait louche). Au moindre problème, je dois dire le mot «salut» au lieu de dire «allo» ou «oui, bonjour». Alors, on me fournit une histoire courte et rapide, qui me permet de pouvoir quitter poliment «parce qu'il semblerait y avoir un problème au bureau et je dois m'y rendre…» Je me rends au pub, mon candidat numéro 1 y est déjà… depuis probablement un certain temps, d'ailleurs. Il est en état d'ébriété, qui commence à être avancé. Il me parle avec sa bouche pâteuse, se répète et me dit à quel point il m'aime bien. Jusque-là, c'est tolérable. Puis, il commence ses énumérations des notes (échelle de 1 à 10) qu'il a attribuées à ses ex-copines et prévoit que je serai au moins un 8 (trou de cul va, je suis un 9.5 !). Dès lors, je commence à trouver que le cellulaire ne sonne pas très rapidement. Je me penche vers mon sac à main, afin de vérifier que la sonnerie est au maximum. Lorsque je me relève, il me prend le visage entre ses mains et tente de m'embrasser. Fin de la rencontre dans l'immédiat. Je me lève en lui demandant «s'il avait décodé un signe de mon intérêt pour lui, parce que moi, mon corps et ma tête semblaient avoir oublié de m'informer». Élimination du candidat numéro 1. J'apprendrai par la suite qu'une amie le connaissait. Il aurait perdu trois emplois, par le passé, pour cause d'ébriété. Échappé belle… mais ça ne commence pas très bien !

Candidat numéro 2. Enseignant de profession et séparé depuis un an. La rencontre n'aura durée qu'une heure. Il pèse environ trente-huit livres de plus que sur la photo et j'apprends qu'il a trois enfants. Pourquoi avoir menti à ce sujet ? Il considérait que l'information n'était pas pertinente, pour une inconnue avec qui il correspondait sur le net. Et bien, il fut ravi de constater que l'information était pertinente dans mon cas. Au suivant…

Candidat numéro 3. Pompier, célibataire depuis un temps indéterminé (j'ai fait une exception concernant le diplôme… fantasme oblige !). Rencontre vraiment super. La chanson qui joue dans le restaurant au moment de son arrivée est *I want to know what love is*. Je prends presque cette chanson pour un signe de la vie. Il est beau et timide. Il ne parle presque pas, alors je raconte n'importe quoi pour éviter les silences. On termine notre café, il m'accompagne à ma voiture et m'embrasse sur la joue. Il me dit qu'il aimerait qu'on se revoit (yes, yes, yes !). Lui, il est en haut de l'échelle, c'est le cas de le dire. Du coup, je sens que les dés jouent en ma faveur et je me retrouve presque sur la ligne d'arrivée.

Trois jours plus tard, pas de nouvelles. J'envoi un courriel, qui reste sans réponse. Il a peut-être perdu mes coordonnées, me dis-je pour me rassurer. Trois jours supplémentaires à me sentir comme un rejet de la société. Durant le week-end, je me réfugie chez Victor : Cette fois, j'ai droit à une séance de magasinage à ses frais, ainsi que le choix d'un film qui me convient. Remarquez que pour le film, il n'en souffre pas vraiment… Qu'il est utile que son meilleur ami soit gai, dans tous les sens du terme. En plus, Victor est d'accord avec moi, les hommes sont tous des salauds. Finalement, ce n'était qu'une illusion et les dés ont mal tourné. Le serpent situé à côté de l'échelle me ramène à la case départ.

Candidat numéro 4, Français d'origine et séparé de sa conjointe, pour qui il a immigré il y a cinq ans (j'ai un faible pour l'accent). Il ne me parle que de la supériorité de la France, de la qualité de ses travailleurs et des relations hommes/ femmes plus simples au pays. Je lui dis, à la blague, qu'en effet c'est plus simple de terminer une conversation à coup de gifle au visage pour faire passer son point de vue. Il me regarde. Mon commentaire ne semble pas l'avoir amusé. Silence lourd. Puis, il reprend son monologue. Je n'entends plus que « blablabla » et je constate que vraiment, son photographe est excellent. C'est bien lui sur la photo, mais pas de doute… les photos en noir et blanc améliorent l'apparence. Note à moi-même : utiliser les photos en noir et blanc si je suis toujours sur le net au moment où mes rides prendront avantage sur mon visage. Le soir même, il m'envoie un message me disant qu'il a bien réfléchi et qu'il ne croit pas que nous soyons faits pour être ensemble (vraiment ?). Au suivant…

Candidat numéro 5. Médecin, qui n'a fréquenté uniquement que des femmes médecins. C'est plus fort que moi, une pensée me vient à l'esprit. Donc, aucune femme dans sa vie avant l'âge de vingt-cinq ans. Il devait être exactement le genre d'adolescent que je fuyais au secondaire et au cégep. Vous savez, le type « rat de laboratoire », jamais présent dans les soirées de beuverie. Mais ne soyons pas discriminatoire, c'est un médecin maintenant (toujours utile pour une hypocondriaque comme moi). Rencontre amusante, mais un léger détail me perturbe. Il est le sosie parfait de mon frère cadet. J'ai beau tenter de chasser l'image, la ressemblance est frappante. Aucune possibilité d'avoir un jour un minimum de libido pour cet homme. Juste l'idée d'avoir du sexe avec lui me soulève le cœur. DRING DRING « Allo, je te rappelle plus tard ». J'ai été parfaitement honnête avec lui. Je n'aurais pas voulu qu'il se pose des questions à dix mille lieux de la vérité.

Candidats numéro 6-7-8-9. Architecte, comptable, informaticien, dessinateur de bandes dessinées. Rien de particulier à signaler. Absence totale de chimie. DRING DRING « Salut ! ».

Candidat numéro 10. Malgré la teinture noire, je ne suis pas dupe, il a déjà soufflé plus de cinquante chandelles. Il devait avoir quarante-trois ans, mon maximum psychologique. Pas grand chose d'autre à dire. Je passe mon tour pour le rôle du « bâton » de vieillesse que je serais. J'entends certains hommes argumenter « tu ne connais pas l'avenir… et si tu tombais malade avant lui ? » On ne le saura jamais, je ne veux pas participer à cette loterie du destin. Dommage… il était le plus cultivé et le plus *gentleman*. C'est à se demander pourquoi cette génération a omis de transmettre cette qualité aux générations suivantes. DRING DRING « Salut ! ».

J'ai fréquenté le numéro 11 durant quelques temps. La première soirée fut charmante. Nous avons même été au-delà du café pour nous rendre jusqu'au cinéma. J'ai d'ailleurs profité de l'occasion pour mettre en pratique tous les trucs pour laisser des traces de mon ADN, selon le mode d'emploi de Victoria. Numéro 11 a choisi un film déterminant dans ma prochaine histoire. Il s'agit d'un scénario mettant en scène un homme qui prévoit la fin du monde à travers des dates passées et futures. Il y a aussi une histoire de série de chiffres, dont j'oublie la formule. Une histoire assez ridicule. Particulièrement au moment où les extraterrestres quittent la Terre avant son explosion finale, en compagnie de quelques êtres humains « méritoires » des deux sexes. Ils les déposent sur une autre planète, dans le but de recréer une nouvelle civilisation. Je suis évidemment la seule à rigoler dans le cinéma. C'est plus fort que moi, je trouve toujours ces histoires hilarantes, moralisatrices et prévisibles.

Lors de notre conversation à la sortie de la salle, Christian me fait une confidence. Depuis l'enfance, il fait des rêves prémonitoires et il croit être « spécial ». Il m'assure que des entités entrent en contact avec lui, afin de le prévenir. Le prévenir de quoi, je ne le saurai jamais. Il me raconte ce rêve, où il aurait vécu une expérience physique supérieure à l'orgasme. Il me dit que des entités ont lancé sur lui des jets de lumière. L'expérience aurait été tellement puissante, qu'il se serait réveillé en état orgasmique sans éjaculation.

J'écoute son histoire avec attention. J'ai un léger sentiment de « déjà vu ». Je me souviens alors de ce film, *Cocoon*, où la même scène est présentée. Je fais le lien et lui demande s'il a déjà vu ce film. Il ne sait plus, peut-être. Il ne voit pas en quoi ce film le concerne ; je deviens aussitôt celle qui ne croit pas suffisamment. Un léger instant glacial passe entre nous. J'essaie de détendre l'atmosphère en lui racontant un de mes souvenirs. Lorsque j'étais enfant, il y avait eu cet épisode de la *Femme bionique*. Jenny, l'héroïne, avait été remplacée par un robot malveillant. Durant des semaines, j'avais rêvé que ma mère n'était plus ma mère. Qu'elle était en fait un de ces robots. Pendant des jours, je l'observais avec minutie, craignant une attaque soudaine. Lors d'une célèbre dispute familiale, j'avais hurlé : « Je sais que tu n'es pas ma mère, mais un robot ! » Malgré la soudaine surprise, je n'avais pas évité le retrait dans ma chambre pour la soirée. Christian m'avait regardée, sans le moindre amusement et m'avait répondu que son expérience n'était pas un rêve, contrairement à moi ». Lorsque j'ai raconté cet événement à Victor, il m'a simplement répondu que mon souvenir était inexact concernant l'épisode de la *Femme bionique*. Alors, selon lui, cela expliquait peut-être le manque de réaction de Christian. Ce cher Victor, toujours présent pour dédramatiser mes névroses.

Quoi qu'il en soit, j'ai laissé de côté cette étrange histoire, bien que je me demande encore à quoi pouvait bien servir ce genre de rêve… si ce n'est que de paraître étrange. J'étais entrée à la maison, son parfum agréable en tête et cette chimie naissante… malgré tout. J'étais aux anges, lorsque dans les minutes suivantes, je recevais un message texte. Il me disait avoir eu une agréable soirée et qu'il espérait que je sois entrée à la maison en sécurité. J'aime les hommes galants et protecteurs.

Lors de la rencontre suivante, j'avais remarqué qu'il ne parlait essentiellement que de lui et de ses anciennes conquêtes (faute majeure, lors de la période de séduction). J'étais un auditoire intéressé, bien qu'agacé par le manque d'espace. Mais je gardais en tête les précieux conseils de mes copines ; les hommes aiment qu'on les écoute. Cette fois-ci, j'eus droit à l'histoire d'une de ses anciennes copines, dont il était persuadé avoir rencontrée en l'an 1380 et quelque chose. Il avait offert sa vie pour épargner la sienne, lors d'un épisode de chasse aux sorcières. Je n'étais pas convaincue que les dates s'arrimaient avec ces célèbres croisades. Je n'ai d'ailleurs jamais vérifié. Quoi qu'il en soit, Christian gardait une certaine amertume d'avoir été quitté par cette dernière, alors qu'elle lui devait toujours, selon lui… la vie.

À la troisième sortie, nous avons fait une promenade en forêt. Une rencontre tout à fait digne du film *La rencontre du troisième type*, malgré son rang au numéro 11. J'ai eu droit aux explications concernant l'existence des fées, des gnomes et des farfadets. Je suis restée à l'écoute et ouverte, bien que je n'aie jamais croisé ni l'un ou l'autre de ces êtres. Le coup de grâce et l'arrêt de mort se sont présentés un peu plus tard. Au moment où nous approchions de la voiture, Christian s'est mis à courir vers un arbre. Il s'est accroupi et a entouré l'arbre de ses bras. Il s'est tourné vers moi, une larme coulait sur sa joue. Il me dit que c'est lui, l'arbre « roi » de la forêt. Que sa puissance est telle qu'il l'entend lorsqu'il lui dit qu'il l'aime.

Je suis retournée en silence vers la voiture. Je n'avais pas prévu un tel événement et le cellulaire ne me proposerait aucune échappatoire. Lorsqu'il tenta de m'embrasser, avec son visage tout radieux, la travailleuse sociale en moi a repris le contrôle de la situation.

– Christian, as-tu pris tes médicaments dernièrement ?

– Comment sais-tu que j'ai des médicaments ? Qui t'a informée ?

— Personne Christian. Je l'ai deviné, c'est tout…

— Je n'ai plus besoin de les prendre, depuis que je t'ai rencontrée. Tu sais, les entités sont venues me visiter, une nuit. Notre amour m'a guéri...

Non, mais je rêve ! Il me semble que mes trente-huit heures de travail par semaine sont une contribution suffisante envers l'humanité. Il n'est pas question de faire des heures supplémentaires dans ma vie personnelle.

— Christian, lui dis-je délicatement. Je ne pense pas que l'on va se revoir… peut-être qu'il serait sage de recontacter ton psychiatre et reprendre tes médicaments.

— Vous êtes toutes pareilles, me répond-il. Vous ne comprenez rien… vous ne voyez pas que je suis un être de lumière…

Bien non, cher numéro 11. Je ne vois pas ta lumière. À vrai dire, j'aperçois surtout ton gouffre noir et j'en suis désolée pour toi…

Le numéro 12 sortait d'une longue, très longue, relation. Il eut la gentillesse de m'informer qu'il désirait reprendre les années perdues. Je l'ai pris dans mon lit, pour quelques semaines. Fallait bien combler un peu ce besoin, alors que je résistais difficilement à ma décision de ne plus voir Philipe. D'autant plus que le dernier pénis observé remontait à plusieurs semaines. Il s'agissait de la fois où, lors d'une randonnée à vélo, j'avais croisé un exhibitionniste caché dans un bosquet. Aussi brave que je l'avais prévu, il s'était enfui à la seconde où j'avais arrêté mon vélo pour faire demi-tour en sa direction. Toute offusquée de l'événement, j'étais repartie en sacrant et en gueulant contre moi-même. La vie avait été assez généreuse pour me faire avaler un insecte en plein vol. Inutile de dire que j'avais fermé la bouche le reste du trajet. À bien y penser, un insecte ou du sperme... choix difficile.

Mais revenons au numéro 12. Je disais l'avoir gardé dans mon lit, quelque temps. Mais rapidement, la différence entre ce que je recevais de Philipe et cette situation devint évidente. Il n'y avait rien de plus au change. Décidément, malgré ses performances, ce n'était pas suffisant pour me faire oublier ma quête et mon combat. Je garde tout de même son numéro de téléphone...

Le numéro 13 ne s'est jamais présenté au rendez-vous. Peut-être m'a-t-il aperçue à travers la fenêtre du restaurant. Alors, j'en conclus n'avoir pas été son genre de femme. En fait, je ne le saurai jamais. Je n'ai plus jamais eu aucun signe de vie de sa part. Espérons que rien de grave ne s'est produit...

Le numéro 14 a été quelqu'un d'intéressant. Je crois bien que j'aurais pu l'aimer. Ou peut-être que non au fond, puisque nos fréquentations n'auront durées que quelques semaines également. Frédéric était tout à fait à l'aise, dynamique, plein d'humour et assez sympathique. Nos conversations ont toujours été agréables, bien qu'il trouve que j'avais « un certain niveau de profondeur inhabituel ». Frédéric me trouvait particulièrement perspicace et intelligente. Je crois bien également que physiquement, je lui plaisais assez bien. Il n'était pas exactement mon type physiquement, mais pour le reste, je dois admettre que ses valeurs et sa personnalité le rendaient attrayant. Presque autant que Philipe.

Étrangement, je n'avais pas remarqué au début qu'il était souvent disponible dans des périodes inhabituelles. Ainsi, il était libre le dimanche matin, le samedi après-midi, jamais les soirs de semaine (à cause du hockey et des copains, qui eux, étaient occupés le week-end avec leur copine). Il y avait toujours un certain délai entre nos rencontres. Celles-ci ne dépassaient jamais quatre heures consécutives.

Il aimait le magasinage (je déteste), le cinéma (moi aussi) et nous allions régulièrement au restaurant, car il ne cuisine pas (moi non plus). Frédéric avait eu une relation assez torride par le passé. Plus je le connaissais, plus j'avais l'impression qu'il avait eu le cœur brisé. Du moins, c'est ce que je croyais, le temps d'excuser son mouvement de va-et-vient entre le « je suis présent » et la fois suivante « je suis totalement détaché ». L'autre type de va-et-vient qui vous vient en tête… il était très bien !

Frédéric avait beaucoup de copines. En fait, il avait tout un harem autour de lui. D'ailleurs, les soirées de week-end étaient toujours organisées en conséquence d'être avec l'une ou l'autre, pour une raison ou une autre. Je n'étais jamais invitée, mais je n'en faisais aucun cas.

Plus Frédéric offrait un cadre de relation instable, plus je me sentais insécurisée. Au lieu de me sentir détachée en son absence, je sentais mes pensées occupées par lui. J'en étais même à me demander si je l'appréciais lui… ou si j'estimais davantage cette sensation du jeu de la chasse. Un divertissement dangereux, où il est facile de perdre de vue la facilité que devrait avoir une relation. Son appel téléphonique ne suivait pas nécessairement la réception de mes messages. Il lui arrivait d'annuler à la dernière minute, parce que sa meilleure amie avait besoin de lui (amie en couple, qui lui réserve apparemment l'intimité que devrait obtenir son conjoint). D'ailleurs, elle lui rappelait souvent qu'il était mieux célibataire qu'empêtré dans une relation qui vient forcément avec certaines obligations. Même si je ne l'avais jamais rencontrée, je sentais qu'elle était toujours présente. Frédéric devait lui raconter dans les moindres détails notre relation naissante.

D'ailleurs, il semblait avoir été un collectionneur de relations complexes et impossibles. Entre deux femmes, il choisissait toujours celle avec davantage de difficultés. Il aurait peut-être fallu que je sois plus fragile... pour obtenir plus son attention.

Puis, après plusieurs soirées à me morfondre et à attendre un rendez-vous qui ne viendrait pas, Ariane est montée à la maison pour me parler.

— Gabrielle, je sais que ce n'est pas mes oignons, mais je t'en parle tout de même. Tu n'as pas l'air très bien ces temps-ci. Même Luna dit que tu sembles « avoir de la peine dans ton cœur ».

Elle s'est assise, après avoir ouvert une bouteille de vin. Au fond, elle avait raison. Je ne pourrais rien obtenir de lui, tant que l'une de ces filles aurait une emprise sur lui. Je connaissais ce modèle avec Philipe. Je mérite une relation amoureuse plus sécurisante. Je mérite d'être choisie et aimée. J'étais à la fois plus sensibilisée et vulnérable à ce genre de relation. Je n'avais plus vingt ans. Je ne voulais plus perdre mon temps et ma santé du cœur.

Lorsque je l'ai contacté, il a senti qu'il y avait quelque chose de différent dans ma tonalité de voix. Il avait voulu savoir pourquoi je voulais le voir rapidement. Je ne lui ai rien dit, je voulais pouvoir lui parler en le regardant dans les yeux. Il devait me rappeler, afin que nous fixions un endroit et un moment dans la semaine... parce qu'il n'avait pas son agenda. Il ne l'a jamais fait. Je ne l'ai jamais relancé. J'en ai voulu davantage à tous ces dieux qui s'absentent, au moment où c'est mon tour de vivre une histoire d'amour. À moins que je l'aie échappé belle… encore une fois.

Pour le numéro 15, je crois que je n'avais pas le cœur à un autre essai. Il ne m'a pas plus physiquement. Ce fut le prétexte pour ne pas renouveler une autre rencontre.

Décidément, les rencontres par Internet ne sont pas pour moi. J'ai tenté ma chance. La seule conclusion que je peux porter maintenant, suite à cette expérience, est la suivante. Pour toutes les fois où l'on m'a dit que je devais forcer un peu le destin, que je devais être proactive, à toutes ces copines bien intentionnées qui ont cru en l'importance de m'encourager à affronter ma paranoïa et aller vers des inconnus, pour tous ces articles dans les revues qui encouragent cette pratique comme étant la découverte du siècle, pour toutes ces discussions interminables concernant la probabilité des nombres « il faut en rencontrer beaucoup pour trouver le bon ! », je vous dis maintenant ceci : c'est fait, je suis davantage découragée et toujours célibataire, bordel de merde !

Je m'ennuie de Philipe… J'ai perdu à la loterie du net. Même le cyber-univers me boude. Je vais de ce pas chez Victor, en passant par chez Ariane. À deux, ils ne seront pas de trop pour tenter d'effacer cet étrange goût d'abandon.

# Gabrielle et les séances de torture familiale

Je suis au beau milieu d'un cauchemar. Je me tiens debout, un verre à la main et je souris nerveusement. C'est la rencontre annuelle de la famille élargie. Je connais, à mon avis, peu de gens. Toutefois, contrairement à mon impression, je semble assez connue. On se souvient de moi lorsque j'étais enfant. On fait le lien avec mes parents. On me dit à quel point j'ai un air de famille, que j'ai bien grandi et que je suis devenue une femme magnifique.

Les enfants courent autour des tables. Les individus se tiennent en couple. On parle et on échange les dernières rumeurs. Je suis au beau milieu du brouhaha et je n'ai qu'un désir… celui de m'enfuir le plus loin possible de cet endroit. Je fais bravement acte de présence et je me souviens que je suis présente, seulement dans le but de faire plaisir à mon père. Je me suis donnée un maximum de deux heures de torture. Après coup, je serai libérée de mon obligation familiale.

Je pourrais bien augmenter mon confort en me réfugiant dans l'alcool. Mais je conduis. L'inverse aurait été peu probable, si je me réfère à mon statut de femme seule. Ce même statut qui me sera rappelé immanquablement lors de chacune des conversations ou presque. Certains diront qu'il ne s'agit que d'une marque de politesse. Moi je soupçonne plutôt un dérivé très subtil d'attaque de vampires, assoiffés de potins familiaux.

— Et puis Gabrielle, toujours célibataire ? Mais que va-t-on faire de toi à la fin ?

La réponse est oui, et pour la question suivante… peut-être que vous pourriez organiser un téléthon ? Ainsi, il pourrait accentuer la recherche dans le domaine de la « vieille fille ». De cette façon, nous pourrions abolir à jamais la fête de la Ste-Catherine.

— Ça veut dire que dans tous ces beaux enfants qui s'amusent, il n'y en a aucun qui t'appartient ?

Non aucun, bien que certains d'entre eux ont une ressemblance frappante avec mes traits physiques.

— Et bien, si je me souviens bien, tu es une des filles aînées de la famille ; tes cousines t'ont rattrapées, faut croire.

Je ne savais pas qu'il y avait une course, mais il semblerait en effet que je suis la grande perdante… merci de me le faire constater de façon aussi charmante.

— Mon Dieu que ton père doit trouver difficile de ne pas être grand-père, surtout que ton frère est homosexuel et que tu es le seul espoir… si l'on peut dire.

D'abord, mon frère est homosexuel et, à ce que je sache… pas infertile. Ensuite, je vous remercie de penser à mon père à mon détriment. Un peu comme s'il était évident que je n'avais pas d'enfants dans le but de le faire souffrir.

Justement, mon père voit mon malaise et vient me rejoindre quelques instants.

— Gabrielle n'a peut-être pas d'enfants, mais elle en a sauvées des milliers avec son travail.

Cher papa. En pensant me redorer le blason, tu viens d'ouvrir une seconde porte.

— Ah bon ! Qu'est-ce que tu es devenue Gabrielle… pédiatre ?

— Non, ma fille est travailleuse sociale et elle est la meilleure, dit-il fièrement. Ils ont fait un reportage sur son travail dans le magazine *Femme et la vie.*

Quel douloureux souvenir. L'article paru dans ce magazine, tout sauf crédible, m'avait valu la risée de mes collègues envieux.

— Travailleuse sociale ? Tu n'aurais pas préféré être psychologue à la place ?

Je suis exactement là où je dois être... inculte, vieille peau et face de conne ! Je nourris secrètement le désir d'envoyer quelques répliques cinglantes. Mais mon père n'apprécierait pas mon humour. J'aimerais pouvoir préciser que j'ai probablement eu davantage d'orgasmes en une année qu'elle durant toute sa vie. Que l'on devrait la décorer pour son endurance… à la vue de son conjoint qui, au même moment, se gratte la poche et se replace le paquet. Que ma carrière vaut amplement sa réussite de femme au foyer. Mais vraiment, je crois que mon père n'apprécierait pas…

Décidément, ces rencontres sont absolument délicieuses et tout à fait appropriées pour infiltrer subtilement un léger goût de vengeance arrosé d'un coulis de mépris.

— Gaby, mon chaton… Viens me voir !

Sauvée par une de mes tantes de ma famille immédiate.

— Tu n'as pas amené Ariane et Luna ?

Bien non. J'avoue que par le passé, elles m'ont accompagnée, histoire que les heures passent plus rapidement.

— Vous ne vous êtes pas séparées toujours…

Je ne suis pas certaine de bien comprendre la signification de cette phrase. Je réponds par la négation.

— Vous habitez toujours ensemble, au même endroit ?

Encore une fois, je réponds rapidement par l'affirmative, toujours incertaine de ses allusions.

— Tu sais ma tante, on habite dans deux logements séparés… on partage en fait uniquement le même édifice.

Ma tante me répond qu'elle le sait et se penche discrètement vers moi en me faisant un clin d'œil.

— Tu sais Gaby, je suis peut-être de la vieille génération, mais je n'ai aucun préjugé envers ce genre de situation.

Décidément, je commence à croire qu'elle me parle d'homosexualité.

— Ma tante ? Tu sais que c'est mon frère l'homosexuel dans la famille.

Ma tante hoche la tête légèrement, regarde autour d'elle, afin de s'assurer qu'il n'y ait aucune oreille indiscrète. Elle se penche à nouveau vers moi.

— Je trouve délicat que tu veuilles protéger ton père. Deux enfants homosexuels dans une famille de deux... ça ferait beaucoup jaser. Je pense que l'on pourrait penser que votre éducation y serait pour quelque chose. Mais comme je te dis, moi, je n'ai absolument aucun problème avec ta vie amoureuse.

La goutte qui fait déborder le vase. La tarte que l'on reçoit en plein visage. Le sauvetage qui était en fait un traquenard. Le malaise qui vient de s'installer dans la moindre de mes cellules corporelles.

— Ma tante, tu fais erreur. Ariane n'est pas ma conjointe. Elle me fixe perplexe et prend une grande respiration. Elle me prend les mains, me les tapote à la façon «je suis plus vieille que toi et j'ai raison».

— Voyons Gabrielle. Il n'y a aucune honte. Depuis le temps que vous êtes ensemble. J'ai même fini par trouver que vous étiez l'un des plus beaux couples que je connais. Tu étais tellement heureuse à la naissance de Luna. Pour moi, j'ai tout compris, dès le moment où tu es restée à ses côtés durant toute la première semaine de vie de la petite.

Mais de quoi elle me parle, cette imbécile! Je suis demeurée à ses côtés parce que le papa était à l'étranger. Je suis demeurée près d'elle parce qu'elle avait eu une césarienne. J'étais là parce qu'elle est ma meilleure amie; celle qui à trois reprises m'a sauvé littéralement la vie (première fois... vieille histoire nébuleuse d'idée suicidaire, deuxième fois... un accident en Chine, troisième fois... étouffement sévère avec un raisin). J'étais à ses côtés parce que ma filleule, que j'avais vu pousser dans son ventre, faisait ses débuts sur cette terre.

— Tu sais, ton oncle aussi trouve que vous faites un couple super. Mais lui, c'est pour une autre raison. Il dit que vous feriez vendre de nombreux DVD, si malencontreusement vous décidiez de vendre vos ébats... si tu vois ce que je veux dire.

Elle se met à rire de sa blague grivoise, en cachant sa bouche derrière sa main.

Bordel de merde ! Mais je suis au beau milieu d'une famille de pervers. Trouvez-moi de l'alcool au plus vite, je contacterai Ariane pour qu'elle vienne me récupérer. Ah non ! mauvaise idée. Pas question qu'elle mette les pieds ici dorénavant.

— Ma tante, dis-je sur un ton un peu plus émotif que précédemment. Je te le répète, Ariane n'est pas ma conjointe et Luna n'est pas ma fille illégitime. Je ne suis pas avec un homme actuellement, j'en conviens. Mais la raison ne se trouve pas dans la relation que j'ai avec Ariane. Cesse de sourire, je t'en prie. Je ne suis pas dans une discussion de négation de mon homosexualité. La vérité, c'est que si c'était le cas, je me ferais un plaisir d'étaler cette histoire au grand jour.

— Bien sûr, bien sûr, me dit-elle, prends ton temps, on en reparlera au moment où tu seras prête.

Non, mais je rêve ! Elle prend mes justifications comme un aveu face à son hypothèse.

—Je suis sérieuse ma tante. Ne serait-ce que pour le fait de ne jamais mettre Luna en position de vivre dans le secret. Dans les faits, je me fous éperdument de ce que les gens penseraient à ce sujet. Je ne crois pas que quelqu'un ici soit en mesure de me faire la leçon. Alors, lorsque je te dis qu'Ariane n'est pas ma conjointe, c'est qu'elle n'est pas ma conjointe !

— Bon Dieu, Gaby d'amour. Ne te fâche pas. Tu as le droit de faire ce que tu veux, tu sais. Si tu me dis qu'elle n'est pas ta conjointe, elle n'est pas ta conjointe. Un point c'est tout. Inutile d'en faire un drame.

Vieille chipie. Elle ne croit pas un mot de ce que je viens de dire. La question n'est pas de défendre mon orientation sexuelle, au fond. La question est davantage de ne pas prendre une étiquette qui ne me correspond pas. Je suis célibataire bordel. Ces rumeurs circulent à la vitesse de l'éclair. Déjà que mes dernières années de célibat doivent être défendues (c'est un choix… je n'ai pas trouvé le bon… je suis bien seule… bien non, je n'ai pas nécessairement un problème). Ne m'ajoutez pas en plus celui de devoir prouver qu'Ariane, ma voisine, ma meilleure amie… n'est pas ma femme. J'ai déjà suffisamment d'obstacles sur mon chemin, inutile d'en ajouter, tabarnak !

— Jérôme ! hurle-t-elle, viens voir ta nièce favorite.

— Salut mon poussin, ta belle Ariane n'est pas avec toi ? me demande-t-il.

— Non, elle n'est pas avec moi, dis-je sur un ton agacé.

— Vous ne vous êtes pas séparées toujours ?

Je regarde ma montre. Mon supplice perdure depuis plus de deux heures. J'ai donné. Je ne prends pas la peine de répondre et je m'excuse de devoir quitter. Je ramasse mes cliques et mes claques et j'entre dans la voiture dans un temps record. J'appellerai mon père à partir de mon cellulaire, plus aucune délicatesse ne tient.

— Allo papa, je suis en route pour la maison.

— Qu'est-ce qui se passe ma « poupoune », je ne t'ai pas vue partir. Ta tante me dit qu'elle a eu une bonne conversation avec toi. Elle me souligne aussi que tu n'as rien perdu de ton caractère. Rien de grave toujours ?

— Bien non mon papa, on se reprend une autre fois. Je devais juste partir, j'ai un rendez-vous dans quelques minutes.

— Et bien, n'oublie pas de passer le bonjour à Ariane. Dis-lui que je l'aime comme ma propre fille.

— Très bien papa. Je lui fais le message dès que je la vois.

— Tu ne la vois pas ce soir ? Vous ne vous êtes pas séparées toujours…

Auparavant, les moutons noirs d'une famille étaient élus pour plusieurs raisons, dont l'homosexualité. Je viens de découvrir que le célibat s'ajoute maintenant à cette liste.

# Gabrielle, la paranoïa et les quarante-huit heures

Nous y revoilà déjà, je recommence mon triple niveau de paranoïa. Quand le cœur est au ralenti, le cerveau écrase l'accélérateur. On dira ce qu'on voudra, vieillir ça rend moins brave et aventureuse. En tout cas, moi je le constate ces dernières années sur ma personne. Bordel ! À cause de ces idées, juste l'idée de rencontrer et de tomber amoureuse, j'angoisse. « Gabrielle, cesse d'avoir ces pensées », me dis-je. Peine perdue, mon cerveau est en pleine action et mes drôles de résonnances envahissent mon imagination. Je pense à mon concept de paranoïa. Concept que je rationalise, histoire de ne pas trop me prendre au sérieux.

Le concept de mes niveaux de paranoïa, que je vis depuis quelques années, est simple. Il y a trois niveaux, le niveau de « simple paranoïa » étant le moins alarmant. Chaque situation ou nouvel élément apporte une diminution ou une augmentation du niveau d'alerte paranoïde. Un peu comme le principe de l'alerte terroriste américaine.

Par exemple, magasiner un costume de bain serait situé, dans mon schème de référence, au niveau de « simple paranoïa ». J'explique sur le champ. Lorsque tu magasines, tu sais très bien que tu as deux yeux pour voir le résultat et l'intelligence pour savoir si l'essayage est correct ou une tragédie. Par contre, immanquablement, tu regardes la vendeuse du coin de l'œil et tu commences à te poser plusieurs questions… du genre quels commentaires la nymphette de cent livres toute mouillée peut-elle bien se faire, au moment où toi tu te regardes dans le miroir ? Ce même miroir positionné à l'extérieur de la cabine, sous un néon qui crée de l'ombre vis-à-vis tes bourrelets et qui met en valeur ta magnifique cellulite de la trentaine. Au fond, tu t'en fous de ce qu'elle pense. Parce que tu ne la connais pas et que tu te rassures sur le fait qu'elle ne semble pas « très débrouillarde », pour utiliser un terme délicat… Mais on ne sait jamais… peut-être qu'elle connaît quelqu'un qui te connaît. Puis, un jour, on te raconte une légende urbaine sur un essayage de maillot ridicule… qui te met en vedette. Je préfère définitivement avoir mon heure de gloire dans un autre contexte.

Le niveau de la « double paranoïa » est encore plus ridicule. Tu arrives encore à te résonner, mais tu commences davantage à te croire et là… tu te réfères en plus à des racontars. Exemple concret pour la cause. Tu pars en voyage et lors de ton retour, tes bagages sont demeurés sans surveillance à peine deux minutes à l'aéroport. Ce n'est pas de ta faute, puisque ton autobus est arrivé quelques minutes après le premier qui contenait tes valises. Le vol se passe plutôt bien, et ce, malgré les petits chiens renifleurs introduits avant le décollage de l'avion et qui semblent apprécier ta présence. Tu arrives à Montréal et après avoir répondu aux questions du sympathique agent des douanes au visage livide, tu te diriges vers le carrousel pour tes bagages. Horreur, il y a une immense croix tracée à la craie sur ta valise rouge (ben non, elle est noire, mais tu ne peux pas t'empêcher de penser aux sœurs Lévesque). Tu arrives tout près de la porte de sortie, tu vois même le soleil à l'extérieur. Tu donnes ta carte de déclaration et… on t'informe que tu es attendue pour la fouille des bagages (shit, shit, shit !).

Théoriquement, tu le sais que ça se peut que tu sois pointée du doigt, car toi et ta partenaire de voyage (c'est Ariane, évidemment !) êtes les seules à ne pas sortir de l'avion avec les cheveux blancs et un déambulateur (eh oui !). Tu n'as pas choisi la bonne semaine pour faire la fête. Au lieu de cela, tu te retrouves dans une ambiance de musique du troisième âge et les demandes spéciales de « manger mou et non épicé ».

Tu le sais aussi que la Jamaïque est un pays de prédilection pour la drogue (c'est pour cela que tu « capotes », car peut-être que l'odeur de ton linge témoigne subtilement de ton exploration culturelle en ce sens). Il se peut également que tu sois l'héroïne d'un de ces films où l'innocente devient le « mulet » d'un trafic de drogue (oups, la baise jamaïcaine a soudainement une autre saveur). Bon, il y a aussi le fait terriblement désavantageux que tu as pris ton billet d'avion à la dernière minute. Parce que partir à l'aventure selon les disponibilités du moment, tu trouves ça excitant ! Résultat : aucun hôtel n'est identifié à ton nom et pour les douaniers, il y a un certain niveau de possibilité de crier BINGO !

Tu as beau te dire... ben non, ben non, ce n'est pas possible. Mais c'est plus fort que toi et le doute te ronge. Alors, tu te tiens à côté de la douanière avec ton expression faciale de terreur, durant la fouille. Tu as beau essayer de te contrôler, il est évident pour toi que tu dégages la culpabilité à plein nez. Puis finalement, elle ne trouve rien... mais ça te fait une maudite belle histoire à raconter. Avec un peu de chance et l'œuvre du temps, le récit sera modifié d'un interlocuteur à l'autre et agrémenté d'une fin tragique. Ce qui permettra à de parfaits inconnus de « double paranoïer » à leur tour, dans une situation similaire (hi ! hi ! hi !, j'aime l'idée de laisser une histoire pour la postérité... à défaut d'avoir une descendance).

Puis, il y a finalement le niveau « triple paranoïa », celui d'aujourd'hui. Le niveau diffère des autres. Celui- là, il fait référence directement à des histoires dont tu as eu connaissance ou qui t'ont touché de près. Il est pour les besoins de la cause et parce que je m'apprête à me livrer aux mains d'inconnus... c'est évident, car si je le connaissais déjà mon homme, il ne serait pas un inconnu ! Bref, je disais que je le souhaitais tout naïvement (bon, pas si naïvement que ça... de toute façon, il paraît que les hommes adorent la naïveté). Je ne peux pas m'empêcher de me référer aux histoires d'agresseurs sexuels, qui se cherchent des proies sur le net (je le sais, je suis intervenue dans des histoires de viol mettant en contexte des rencontres sur le net). Ou encore, tout bonnement dans un bar, à l'aide du GHB, la drogue du viol. Je ne peux pas non plus m'empêcher de penser aussi à des histoires de pédophiles, qui sélectionnent les femmes sur le net selon le critère qu'elles ont des enfants ou non (je n'en ai pas… quelques fous de moins pour moi). Je pense aussi aux violents, qui tâtent déjà le terrain avant de s'introduire dans ta vie. Aux menteurs, qui ne fourniront jamais la couleur de ce qu'ils t'avaient vendu d'eux-mêmes. Aux alcooliques, aux toxicomanes, aux compulsifs du jeu, aux enfoirés affectifs. Je pense aussi aux incapables de l'engagement, aux narcissiques… Bref, à tous ceux qui ont des bibittes et pas seulement dans leur culotte. Évidemment, je pourrais continuer inlassablement, mais le but est de décrire la peur que procure l'idée d'introduire un inconnu dans sa vie. Particulièrement, lorsque tout cela se passe dans ma tête, sans aucun *prospect* en vue.

Je prends une grande respiration, une très grosse respiration. Cette peur de rencontrer « LE » nouvel homme dans ma vie me renvoie à une autre plus profonde. Celle d'être seule à jamais, abandonnée. Bon, j'exagère un peu, puisque le côté amitié de ma vie est bien rempli. Mais cette partie ne comble pas ma quête de l'absolu. Celle de trouver celui pour qui a été fabriqué pour le côté gauche de mon lit. Donc, en conclusion, je me livre et me lance, où alors je fêterai à jamais la fête de la Ste-Catherine. La Ste-Catherine… maudite fête baveuse. Ça y est, elle arrive.

La déprime est de retour, elle approche. Je ne la vois jamais vraiment venir à l'avance. Je ne me doute jamais qu'à l'instant de mon prochain réveil ou dans un changement d'activité, elle sera présente. Pourtant, dans les moments où je m'endors le soir ou que je m'occupe, tout va bien. Je suis en forme, j'ai le moral et ma vie se porte bien. Elle n'en tient pas compte. Elle se fout éperdument de ma tranquillité d'esprit. Elle débarque, un point c'est tout. Elle s'installe, prend toute la place et devient le centre d'attention. Plus rien ne compte, sauf elle. C'est immanquable, elle revient encore… la période dépressive de quarante-huit heures. J'aurais dû m'en douter, une autre fleur de mon orchidée vient de se détacher de la plante, aujourd'hui.

Elle s'annonce toujours avec quelques rêves mélancoliques. Essentiellement le même scénario à travers différentes histoires. Je suis seule et abandonnée. Je suis témoin du bonheur des autres, mais je suis invisible. De façon générale, elle sonne à la porte de mon esprit vers les quatre heures ou cinq heures du matin. Je m'éveille souvent en pleurs, incapable de me rendormir. Je me sens un peu confuse et souffrante. La douleur est semblable à celle d'une peine d'amour, sauf qu'il ne se passe rien… tout est dans ma tête.

Je n'aime pas ces foutues quarante-huit heures. Surtout en sachant que Jack Bauer réussit bien pire en vingt-quatre heures. Allez savoir pourquoi, c'est le nombre d'heures dont j'ai besoin pour la combattre. Je m'améliore toutefois. Auparavant, il me prenait davantage de temps pour la chasser… en attendant notre prochain rendez-vous quelques mois plus tard. Par le passé, je me laissais davantage dominer par elle. J'absorbais son anxiété et vivais de ses peurs. Je n'osais pas la regarder dans les yeux, je la subissais sans espoir. Je la nommais SPM (syndrome prémenstruel), même dans les mauvaises périodes de mon cycle. Maintenant, je l'appelle ma crise statutaire.

Pour mieux vivre en sa compagnie, à défaut de pouvoir m'en débarrasser définitivement, je l'ai observée. J'ai débusqué son mode de fonctionnement, j'ai noté sur papier son cheminement. De ce fait, j'ai appris à accorder moins d'importance aux pensées qu'elle glisse subtilement dans mon cerveau. Avec le temps, cette cohabitation est devenue plus facile. Parce que je la connais bien, cette indésirable. Je connais le moindre de ses scénarios et je connais le moindre de ses effets sur ma personne. Donc, lorsqu'elle me parle trop fort, je la combats avec mon iPod à plein régime. J'évite les chansons mélodramatiques et je mets du rythme dans mes oreilles. Je chante à tue-tête les paroles qui me viennent à l'esprit et je fais taire les discours de la peur.

Au niveau physique, c'est toujours pareil. Je vais me peser et considérer que mon poids est alarmant. Je vais alors sérieusement considérer l'idée de cesser de m'alimenter. Je vais aussi songer à augmenter du double le temps de mon entraînement physique. Mes yeux auront une teinte plus grisâtre au lieu de mon vert habituel. Il n'y aura plus d'étincelles dans mon regard. Mes rides naissantes seront plus apparentes. J'aurai également une peau plus flasque et il n'y aura rien à faire… mes cheveux n'obéiront plus. Lorsque je vais tenter de décider de ce que je vais porter comme vêtements, je ne trouverai rien… malgré ma garde-robe bien remplie.

Je marcherai d'une façon nonchalante ; Gabrielle et les Zombies. Je n'aurai pas d'énergie et j'aurai des poches sous les yeux, rehaussés de cernes foncés. Alors question maquillage, le final aura une légère ressemblance avec l'apparence d'un clown (du moins dans ma tête).

Avec tout ce temps libre de célibataire, je songerai aux mêmes sujets. Où vais-je, que veux-je, que peux-je. Pourquoi ? Et encore pourquoi. Je vais me demander à quoi ça sert de se lever le matin. De gagner sa vie pour payer l'hypothèque, la voiture, les comptes. Je vais imaginer les pires scénarios. Celui où je suis une vieille femme seule qui n'a pas eu la chance de connaître un amour durable. Je vais aussi me voir, pleurant sur mon sort de ne pas avoir eu d'enfant.

Puis, je vais me dire que c'est peut-être une question de mérite. Que, sans le savoir, je suis une personne qui doit estimer trop à la hausse sa valeur personnelle. Que mon destin est d'être seule et que je vais mourir sans que personne ne s'en aperçoive. Qu'il est impossible pour un homme de m'aimer, parce que je suis une femme trop complexe et exigeante.

Mes comportements seront les mêmes. Je ne ferai pas d'exercice par manque de motivation. Je zapperai inlassablement les postes de la télévision et pleurerai devant la tristesse de ce monde, comme pour ses grands événements heureux. J'aurai envie d'envoyer promener les gens heureux. Je me comparerai à des femmes moins attirantes en me disant « pourquoi elles sont en couple, elles ? ». Je trouverai que c'est une bonne idée de m'ouvrir une bouteille de vin en solitaire. En buvant la bouteille, je songerai à l'idée de remplacer le liquide par de la marijuana (il y a moins de calories). Puis, je me raviserai en pensant à la boulimie que cela provoque (en tout cas dans mes souvenirs... trop de calories). Je parlerai au téléphone à plusieurs de mes copines et elles tenteront de me remonter le moral sans succès. Ariane et Victor tenteront également de me convaincre que je suis une femme chanceuse et que ma vie est belle. J'aurai envie de manger une poutine et de me goinfrer dans le chocolat. Je fumerai des tonnes de cigarettes (il paraît que ça abrège la durée de la vie). Je me coucherai l'âme en peine devant la partie gauche de mon lit, toujours vide. Je contacterai Victoria, qui me dira :

— Cesse de t'apitoyer sur ton sort, il n'y a aucun motif qui te permette de te plaindre… tu es bien placée pour le savoir, avec ton métier.

Victoria, ma reine de la logique appuyée sur des faits démontrables et incontestables.

Ensuite, j'entrerai en crise spirituelle. Je demanderai aux anges pourquoi ils ne se manifestent pas, pourquoi m'a-t-on oubliée. Pourquoi il n'y a pas d'hommes placés sur mon chemin. Pourquoi me laisse-t-on pourrir de la sorte, moi qui ai tant à offrir. Je n'aurai pas de colère par contre… manque d'énergie. Je me demanderai alors si c'est une question de karma. Je m'imaginerai des vies antérieures où je devais être la pire des sans-cœur et je me sentirai coupable.

Finalement, je tenterai de faire du marchandage avec le ciel. J'irai allumer des lampions à l'Oratoire St-Joseph. Je promettrai d'être une femme plus complète, plus utile à ma société. Je témoignerai de mon éternelle reconnaissance, dans le cas où je serais exaucée. J'expliquerai certaines de mes théories, dont celle de mon cœur extensible et de ma loyauté. J'exprimerai tout mon potentiel et mon besoin d'aimer et d'être aimée afin de devenir meilleure.

Je promettrai de devenir sage et patiente. Douce et aimante.

Je compterai les heures, sachant que ce mauvais moment passe toujours. Je m'absorberai dans mon travail que j'aime. Toutefois, je percevrai davantage toutes les choses qui ne fonctionnent pas. Je me demanderai pourquoi les « crosseurs », les immatures et les égoïstes réussissent mieux. Je constaterai que le système favorise souvent les plus opportunistes. Que les lois n'ont rien à voir avec la justice. Que la logique semble une valeur absente de nos organisations et qu'heureusement, Victoria existe sur cette terre… Je vais regarder mes collègues que j'estime le moins et je vais me dire : « Bien, continuez à saccager ce qui pourrait être beau avec un peu plus de solidarité ! »

Puis, je vais commencer à me comparer ; très belle suggestion, d'ailleurs, de ma reine Victoria. Me comparer aux plus pauvres financièrement et affectivement, aux malades, aux esseulés véritables. Je vais me comparer aux habitants de d'autres contrées. Alors seulement, je me remettrai à rigoler de tout et de rien. Mon côté ironique me sauve toujours brièvement la mise. Puis, je vais aussi me souvenir qu'il est injuste d'accorder plus d'importance à ce que nous n'avons pas, plutôt qu'à ce que nous possédons déjà. Je bercerai Luna, en appréciant cette tendresse pour cette enfant si unique. Je regarderai autour de moi. Je commencerai à trouver qu'Ariane, Victor et Victoria ont raison, il y a pire que moi, au fond.

Je me lèverai après une nuit calme. J'aurai envie d'enfourcher mon vélo à nouveau. Les fruits et les repas hypocaloriques auront un meilleur goût. Je réussirai mon maquillage et j'aurai meilleure mine. Je constaterai que mon orchidée se porte bien, malgré ses récentes pertes. Je soupirerai de soulagement. La tempête est terminée, le soleil revient… jusqu'à la prochaine fois. Quarante-huit heures et une seconde : le temps pour renouer avec la vie et l'espoir. Comme une horlogerie suisse, sans aucun retard, je prends le nouveau départ qui s'offre à moi… jusqu'à la prochaine fois !

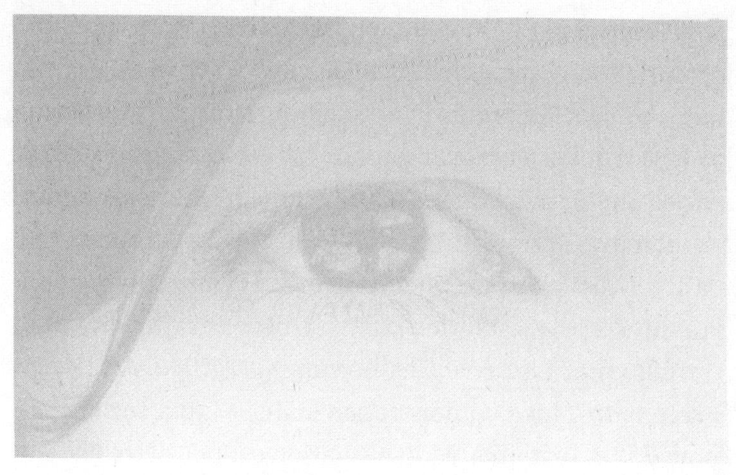

# Gabrielle et ses listes

Aussi étrange que le tout puisse paraître, je fais des listes. Des tonnes de listes. Une liste pour l'épicerie. Une liste pour ce que je veux améliorer chez moi. Une liste pour ce que j'apprécie. Une liste pour les caractéristiques que je recherche chez un homme (elle est passée, avec le temps, de vingt-huit critères à sept... faut pas trop en demander, faut croire). Une liste de tout ce qui m'écœure dans la vie quotidienne sans homme.

Je fais des listes depuis mon adolescence. Curieusement, les listes concernant la vie professionnelle et les amitiés ont été exaucées. Je vous le dis... la vie est narquoise. Particulièrement pour moi, qui n'ai jamais été une très grande carriériste... J'imagine que je tiens cette particularité par mon goût pour les contes de fées. Enfant, je connaissais toutes les histoires avec une fin se terminant par « ils vécurent heureux et eurent beaucoup d'enfants ». Adolescente, j'ai découvert les romans de type Harlequin. Jeune adulte, j'adorais tous les films d'amour. Maintenant, je revisite ces mêmes contes avec Luna et je réalise à quel point j'ai pu me faire avoir. Particulièrement dans une époque teintée de féminisme et quelque peu confuse quant au rôle des hommes. D'ailleurs, j'hésite encore entre l'idée ou non de sensibiliser Luna sur l'irréalisme de ces histoires. Mon hésitation est peut-être en lien avec le fait d'apercevoir encore, quelquefois, ce genre de dénouement fantastique dans mon entourage. Ou encore simplement que je n'oublie pas que Luna est une enfant et qu'il est important de rêver. Rêver avant que les apprentissages et la vie rendent cette action plus ardue… avant de réaliser que nous sommes dupés par les contes de fées, finalement.

Ma liste préférée est celle concernant les désagréments et les manques, en lien avec l'absence quotidienne d'un homme dans ma vie. Ainsi, j'ai dressé une liste des situations encombrantes, désagréables et torturantes dans mon quotidien. Sachez qu'inévitablement, chacune de ces situations déclenche chez moi soit de la colère, ou du moins, un agacement profond. Je vous la présente.

1. Magasiner une voiture (aucune confiance envers les vendeurs qui me parlent de la couleur du bolide et des espaces de rangement).

2. Faire réparer la voiture ou choisir les accessoires, tels que des pneus (aucune compréhension dans l'explication des dits coûts et la nécessité des réparations ; moi, tant que ça roule et que j'entends la musique… il n'y a aucun problème).

3. Magasiner des appareils électroniques (aucun intérêt envers les caractéristiques et encore moins le rapport qualité-prix… sauf que je regarde le prix).

4. Installer les appareils électroniques (trop de « gugusses » à comprendre et à rabouter).

5. Déplacer des meubles ou les remplacer (Dieu ne m'a pas donné la force physique nécessaire ; il m'a dédommagée en intelligence).

6. Passer la tondeuse et le *weed eater* (je me convaincs actuellement que c'est un bon exercice cardiovasculaire, mais pour le *weed eater*… calvaire que c'est pesant à la longue).

7. Déplacer des sacs de terre, modifier le terrassement, installer l'abri de jardin (pourquoi les dalles de ciment sont si lourdes ? Pourquoi il y a tant de vis ? Pourquoi la toile de l'abri rétrécit à chaque année ? Pourquoi ne pas faire des petits sacs de terre de deux ou trois livres ? Surtout, je ne veux pas entendre de justifications en lien avec les « virages verts »… merci !)

8. Réparer et ajuster des parties de la maison (la plomberie, c'est complexe, l'électricité me fait peur et je suis pourrie dans le plâtrage).

9. Pelleter la neige lors d'une tempête (il fait trop froid et il y a trop de neige).

10. Déglacer la voiture après un verglas (mauvais souvenir depuis la tempête de verglas dans les années 1990. J'ai aussi une longue expérience de « scratchage » de la peinture des portières et du capot… lorsque je frappe sur les vitres à l'aide de mon balai à neige).

11. Allumer le réservoir à fondue chinoise (j'utilise un spaghetti à titre d'allumette longue… mais c'est long et le foutu spaghetti brûlé sent mauvais).

12. Couper le bois pour le foyer (ai-je l'air d'un bûcheron ?).

13. Installer la rallonge à vélo pour que Luna puisse s'accrocher au mien (j'ai mis trois heures à lire et suivre les instructions. J'ai dû recommencer à deux reprises… après avoir malencontreusement propulsé la petite dans le fossé).

14. Négocier un prix en magasin (toujours l'impression de me faire fourrer sans la sensation agréable !).

15. Aller à la quincaillerie (je n'ai jamais le bon nom pour la pièce et je me sens toujours comme « une petite madame » devant le vendeur).

16. Répondre à la porte après vingt heures (il y a plein de maniaques à la tronçonneuse… on le sait).

17. Répondre à un appel téléphonique qui demande à parler au « monsieur » de la maison (dans mon cas, il est toujours absent… puis-je prendre le message ?)

18. Arranger, nettoyer et partir le barbecue (ça fait deux ans que je m'en passe).

19. Déménager (mon réseau est constitué presque uniquement de filles et je crois que leur chum en a assez de servir de « bras » pour les autres).

20. Me présenter dans des mariages ou toute autre réception qui suggère d'être accompagnée (je vais y revenir plus longuement).

21. Me présenter dans un souper de couple ou familial (dois-je vraiment avoir un commentaire à ce sujet ?).

22. Sortir ma valise du coffre de la voiture à l'aéroport et entrer dans la navette (le chemin inverse est tout aussi désagréable).

23. Avoir mal au dos alors qu'aucun rendez-vous n'est possible chez la massothérapeute.

24. Avoir une histoire où j'ai besoin que mon homme me demande : « Veux-tu que je lui casse la gueule ? » (même si c'est en blague).

25. Avoir une histoire où j'ai besoin que mon copain me dise : « Une vraie fille qui s'inquiète pour rien… »

26. Sortir les poubelles et les bacs de recyclage.

27. Installer les lumières de Noël lorsque la température est sous zéro.

28. Être seule à la maison lors des tempêtes de neige ou pannes d'électricités.

29. Être dans une foule compacte et ne pas pouvoir faire mon chemin.
30. Vivre la période des Fêtes seule.

**Ce qui me manque le plus :**

1. Passer ma main sur un menton à la barbe naissante.
2. Me tourner dans le lit et observer mon homme qui dort sur l'autre moitié.
3. Coller mon nez dans le creux de son cou et sentir cette odeur masculine.
4. Me faire prendre dans des bras plus puissants que les miens.
5. Me faire ouvrir une porte ou une portière.
6. Percevoir un reflet de désir dans son regard.
7. Ressentir des papillons, m'ennuyer et les premières secondes des retrouvailles.
8. Écouter des histoires de gars.
9. Être occupée dans une conversation et l'apercevoir en me disant « ce qu'il est beau mon homme ».
10. Écouter un film et glisser ma main sur son corps.
11. Recevoir une attention particulière, juste pour moi.
12. Sentir que nous sommes deux, une équipe.
13. Prendre soin de lui, juste parce que j'aime ça.

14. Me sentir en sécurité, même une journée comme le 11 septembre.

15. Me sentir fière de lui et être un peu impressionnée.

16. Être en amour pour la légèreté ; être en amour même pour ces douleurs qui nous rappellent que nous avons un cœur et sommes en vie.

17. Planifier des projets à deux.

18. Se laisser guider par l'autre et découvrir ce que nous ignorions.

19. Pouvoir faire l'amour, régulièrement ou souvent.

Bon, il ne me reste plus que d'envoyer cette liste au Père Noël. Après tout, qu'aurais- je à perdre ? Ho ! ho ! ho ! foutu Pôle Nord et foutus contes pour enfants.

# Gabrielle, Ariane et l'année 2004

– Super, on est au bar de l'hôtel, il est dix-neuf heures et la soirée commence sous un beau soleil couchant… on reprend un cocktail ? dis-je avec mon plus grand sourire.

– D'accord, mais que ce soit clair. C'était la dernière fois que tu me tortures pour aller dans le sud, me répond Ariane.

– Ouais, ouais… Bien sûr, Ariane. Mais avoue que t'es pas trop cohérente, tu me dis ça à chaque voyage. On doit être rendues au voyage numéro 22 depuis le temps.

– Gaby, je ne rigole pas… je viens ici pour te faire plaisir. On est dans le fin fond du trou du cul du monde cubain… je me demande vraiment pourquoi j'ai accepté encore une fois tes supplications.

— C'est peut-être, Ariane, parce que tu en avais assez des problèmes de nos clients… ou encore, c'est peut-être en lien avec le fait qu'il fait - 30 °C au Québec; j'ai mieux : probablement que tu te serais trop ennuyé de moi, si j'étais partie sans toi.

Ariane me regarde droit dans les yeux et m'interpelle en me rappelant que c'est moi, l'ennuyeuse d'entre les deux.

— Ne t'inquiète pas, dis-je à Ariane. On doit être ici, dans le fin fond de Cuba, mais je ne sais pas encore pourquoi, en fait.

— Vraiment, tes histoires de prémonitions, Gaby, elles fonctionnent une fois sur deux.

— Mensonge, chère amie jalouse… on va plutôt conclure à trois fois sur quatre, O.K?

— O.K., mais ça a besoin d'être dans le soixante-quinze pour cent de la réussite, Gaby, sinon plus de crédibilité et plus d'arguments du genre.

— Un autre cocktail, amie crédule?

— Un autre cocktail, sorcière voyante.

Au même moment, le groupe de musique fait son entrée sur la petite scène située près de la piscine.

— Wow, dis-je. T'as vu le percussionniste? Méchant beau bonhomme.

— Pas touche, je l'ai vu avant toi.

— Pas nécessairement vrai… et depuis quand on trouve qu'un homme est beau en même temps?

— C'est la première fois Gaby… mais là, je suis sérieuse. Celui-là il est pour moi et tu connais les règles : on ne pêche jamais le même poisson.

– Si tu veux, je te le laisse… à voir ton visage, c'est du sérieux, dis-je en riant.

– Gaby, je ne sais pas pourquoi je vais te dire ça, mais… c'est le père de mes enfants. Je le sais, je le sens.

– Pardon ? Tu me niaises…

– Je le voudrais bien Gaby. Mais je suis sérieuse.

– Ariane, on est dans le fin fond de Cuba. Peut-être qu'on devrait cesser les cocktails, ça te replacerait les idées. Tu te souviens de toutes nos conversations sur ces pauvres filles qui se font faire la romance par des Cubains désireux d'exil ? Tu sais, ces mêmes filles qui dépensent tout leur argent pour entretenir un homme qui, dans quatre-vingt-dix pour cent des cas, les quitte rendus au Québec ?

– Gaby, je ne t'ai pas dit que je venais de trouver l'homme de ma vie. Je viens de te dire que j'ai trouvé le père de mes enfants.

– Ben merde alors… tu vas te faire fabriquer un petit *made in Cuba* par lui ? Puis retourner au Canada sans rien dire ?

– Franchement ! Tu me connais mieux que ça. Je vais avoir un petit de lui et ce sera en toute connaissance de cause.

– Tu rêves ma pauvre… qui serait assez stupide pour te faire un enfant sans rien recevoir en retour ?

– Tu réfléchis avec ta tête de Québécoise et tu penses aux hommes québécois. On est en Amérique latine, bien des choses sont différentes. De toute façon, si j'ai raison, tout va s'organiser facilement, fais-moi confiance.

Ariane me fait un clin d'œil et va s'asseoir près de la scène pour se faire voir.

Mon amie Ariane est de cette race de femme qui obtient presque toujours ce qu'elle désire. Elle ne se plaint jamais, ne demande que très rarement de l'aide et réussit aisément tout ce qu'elle entreprend. Je la soupçonne d'avoir une entente secrète avec le « boss » de l'Univers.

À la suite de plusieurs années de thérapie, elle en était venue à la conclusion qu'elle ne trouverait pas de conjoint au Québec. En fait, d'aussi loin que je la connaisse, elle n'avait fréquenté que des hommes de toutes nationalités confondues… sauf des Québécois. Parfaitement trilingue, l'amour en français, en anglais ou en espagnol… ça ne faisait aucune différence pour elle. L'important était dans le type de la relation et une relation à distance, elle n'y voyait aucun inconvénient. Particulièrement lorsqu'il s'agissait de l'île de Cuba, pays où elle se sentait bien, se sentait à sa place.

Je n'ai pas revu Ariane de la soirée, étant moi-même occupée par le trompettiste. Tout ce que j'ai aperçu par moment, c'est Ariane qui discutait avec le percussionniste. À voir son langage non verbal, ma meilleure copine était plus qu'emballée. De loin, on aurait pratiquement dit qu'elle roucoulait.

Nous sommes entrées à la chambre plusieurs heures plus tard. Nous avions attendu que les deux hommes prennent leur autobus pour quitter le site. Ariane avait le feu aux joues, le sourire aux lèvres et marchait d'un pas certain. Elle s'est retournée vers moi et m'a dit :

– J'avais raison, c'est le père de mes enfants. On prend une autre bière pour la route ?

– D'accord, lui dis-je, en la fixant toujours du regard et en attendant la suite de l'histoire.

Nous avons récupéré nos verres et nous nous sommes dirigées vers la plage. Ce soir-là, la lune était pleine et le ciel dégagé de tout nuage. Ariane m'a longuement expliqué que la conversation avait été fort simple. Ils s'étaient présentés, il lui avait parlé de son enfance et de sa petite fille, issue d'une précédente union. Il avait trouvé étrange qu'une femme comme elle soit sans conjoint et sans enfants. Elle lui avait expliqué qu'elle souhaitait profondément devenir mère et qu'à défaut d'avoir rencontré un conjoint idéal, elle réfléchissait à d'autres possibilités. Elle faisait référence à l'insémination artificielle ou encore à l'adoption. Il lui avait alors dit à la blague :

— Je serais heureux de t'offrir ce cadeau, si tu veux. On se met au travail dès que possible...

Elle l'avait mise en garde quant à la possibilité qu'elle le prenne au mot. Il avait pris cet échange pour un défi et avait poussé plus loin les possibilités. Ils avaient alors discuté des conditions de faisabilité. Il devait être en bonne santé, elle l'informerait à vie de l'évolution de l'enfant, elle viendrait le visiter une ou deux fois par année, pour qu'il connaisse sa progéniture. Il lui avait fait promettre de ne jamais venir lui « rapporter » l'enfant, dans le cas où il y aurait des pépins. Elle avait ri à cette dernière condition, en se disant « si tu savais... il n'y a aucune chance que cela se produise ». Ils avaient décidé que le premier essai serait dès le lendemain et qu'il apporterait son certificat médical, afin de lui prouver qu'il n'avait aucune maladie vénérienne.

Alors qu'Ariane me racontait le contenu de leur discussion, j'eus l'idée de porter un *toast*.

— Devant la lune et la mer, je souhaite profondément que ton désir se réalise… et bien que je te trouve complètement folle, tu pourras toujours compter sur moi.

Ariane leva son verre à son tour. À cette belle lune… À cette belle Luna.

— Au futur enfant en santé et à sa marraine qui aura été près de lui, bien avant son arrivée.

Et cette soirée eut lieu, comme prévue, dès le lendemain soir. Ce qu'Ariane n'avait pas encore saisi, à cette époque, c'est que Miguel avait été fasciné par sa force, et ce, dès les premiers instants. Il n'avait jamais connu un petit bout de femme si confiante et déterminée. Elle savait ce qu'elle voulait, entre sa gêne et son désir de plaire.

Ce que moi je ne saisis pas, c'est l'image que je laisserais à Miguel, durant de nombreuses années. Nous n'avions pas vraiment fait connaissance durant ce séjour. Particulièrement parce que l'on ne pouvait se comprendre ; ne parlant pas la même langue. Toutefois, Miguel garderait en mémoire mon regard franc et inquisiteur. Il reverrait le doigt que je pointais vers lui, alors qu'Ariane traduisait les seules paroles qui lui seraient destinées. Le fameux soir de la « tentative de procréation », je l'avais mis en garde de ramener Ariane à l'hôtel pour huit heures, le lendemain matin. Advenant le cas où ma meilleure amie serait absente, je contacterais immédiatement la police. Je sais que c'est un peu excessif. Particulièrement parce que je ne réalisais pas toutes les craintes que j'avais suscitées chez lui. Je savais par contre que malgré la traduction simultanée d'Ariane, il avait capté l'intention et la force de mes propos. Il transgressait une loi cubaine, en invitant Ariane chez lui. Il le savait et je le savais aussi. Si la police était informée de sa présence durant la nuit, il risquait la saisie de la maison de sa mère (chez qui il vivait) et bien d'autres démêlés avec la justice.

La puissance du désir ne s'explique pas, tenta-t-il de se persuader. Malgré le fait que cette Gabrielle semblait menaçante et un « brin » protectrice, que le gros bon sens lui disait d'éviter cette situation à tout prix et qu'une partie de « baise » ne vaudrait jamais la prison..., il devait prendre la main d'Ariane, il devait sentir son corps, son odeur. Éviter cette rencontre aurait été une torture encore plus grande que celle de la peur du régime militaire et de la police cubaine. Il y a des moments où il ne suffit plus de se conformer, mais bien de déjouer le système, pour se sentir libre et en vie. C'était cela Ariane, la différence, la liberté, le courage, la détermination, le danger, la délinquance et le désir qui coulait dans ses veines.

Deux semaines après le retour de ce voyage, Ariane eut ses règles. La tentative avait été infructueuse. La vie s'était montrée intraitable face à la réalisation de ce souhait.

Quatre mois plus tard, après avoir échangé de nombreuses lettres, courriels et appels téléphoniques, après avoir longuement réfléchi à tête reposée et après avoir repris sa thérapie, Ariane retournait à Cuba. Je l'ai déposée à l'aéroport en lui souhaitant la meilleure des chances. Elle allait rejoindre Miguel pour une semaine entière. Il avait pris congé du groupe de musique, ils avaient trouvé une *casa particulares* qui permettait qu'ils soient « légalement » ensemble dans la même chambre. Parce qu'à cette époque, le régime de Fidel Castro ne permettait pas le mélange entre touristes et Cubains sans avoir obtenu une permission spéciale du gouvernement. Seules quelques auberges avaient l'autorisation de recevoir des « mixtes ». Évidemment, les propriétaires étaient des communistes loyaux et méritants, ce qui donnait toujours une impression subtile d'être sous surveillance. Tout au long du séjour, ils auront rappelé à Miguel toute la puissance du régime castriste et la fierté d'être un homme cubain. La télévision toujours ouverte diffusait les discours-fleuves de Fidel, en trame de fond sonore. Ariane eut droit également à quelques conversations, ou plutôt des monologues, sur la fierté cubaine et la grandeur de « papa Fidel ». Que voulez-vous, la propagande est l'essence même du maintien de l'ordre dans cette île qui, à nos yeux de Québécoises, ressemble étrangement à une prison à ciel ouvert. Une sentence à vie… pour un peuple interdit de sortir du pays, sauf dans des cas particuliers.

Quatorze jours après son retour, Ariane fit un test « pipi » de grossesse. Cette fois-ci, elle était enceinte. Une tout autre histoire commençait pour Ariane. Luna, ma filleule, allait naître quelques jours seulement avant Noël. Pour le plus grand bonheur de sa maman, de ses grands-parents, de sa marraine et bien sûr… de son papa qui avait maintenant une progéniture canadienne.

# Ariane, Luna et Gabrielle à Cuba en 2009

L'avion avait atterri depuis plusieurs heures déjà. La chaleur était accablante en ce mois de juillet. J'étais assise sur le petit lit de la minuscule chambre de Holguin. Au son de l'air conditionné datant des années 1970, je me demandais à quoi j'avais pensé d'accepter de rencontrer à nouveau Miguel et toute sa famille. Comme nous étions hors saison pour se rendre près de son village via un vol direct, nous étions contraintes de devoir louer une voiture et faire quatre heures de trajet. Mais voilà que déjà l'aventure commençait d'une façon boiteuse. La voiture louée à distance n'était pas disponible avant le lendemain matin.

— Ça commence bien, dis-je sur un ton témoignant de mon mécontentement.

— Tu le sais que ça arrive souvent ce genre d'histoire ici, répondit Ariane.

— Peut-être, mais avoue que ça commence mal...

— Gabrielle, entre toi et moi, il me semble que je devrais être la plus déçue des deux.

J'haussai les épaules et sortit à l'extérieur pour fumer une cigarette. Mais pourquoi avoir accepté cette invitation ? Avais-je vraiment besoin de matérialiser, sous mes yeux, la présence de Miguel et l'amour croissant d'Ariane pour lui. Ne serait-ce pas un malheureux miroir de mon propre vide du côté gauche de mon lit ? J'avais beau me dire qu'il était normal de le connaître, que je devrais être heureuse pour Ariane qui, peu à peu, transformait le rôle de géniteur en celui de père. Mais au fond, une partie de moi se voyait dérangée par l'existence de cet homme. Le seul qui avait le pouvoir de défaire mon château fort et mon territoire de confort. Un peu comme s'il était un compétiteur, malgré les zones d'expertises totalement différentes. Je ne l'aurais pas admis, mais il était l'intrus dans mon cercle vital. Celui qui me rappelait à l'ordre quant à la surévaluation de mon importance auprès de Luna et d'Ariane.

Il y avait certes un peu de cela, mais il y avait davantage. J'avais beau chercher à comprendre, je ne voyais pas. Comment pouvait-on être amoureuse d'un homme à la culture et aux croyances si éloignées. Il ne me suffisait que d'un regard sur le quotidien des Cubains pour constater certaines incompatibilités. Les femmes ne conduisaient que très peu... bon, il est vrai que personne ou presque ne possède de voiture… alors l'exemple est contestable. En fait, l'incompatibilité se trouvait davantage, selon moi, dans les vingt ou trente ans qui semblent séparer les deux cultures. Autant d'années de féminisme pour se retrouver en arrière, non merci, me disais-je. Particulièrement pour moi, qui avais eu une mère tout sauf traditionnelle.

— Gaby, pourrais-tu garder un œil sur Luna ? Je vais tenter de joindre Miguel au téléphone pour l'avertir.

J'entrai dans la triste demeure de l'auberge, si je pouvais la nommer ainsi. J'avais vécu d'étranges situations et des conditions de vie bien pires, lors de précédents voyages. Mais j'étais d'une humeur à saveur de mauvaise foi ; tout devenait un prétexte pour faire ressortir mon côté un peu trop princesse et précieuse. Je pris Luna dans mes bras et la berçai tendrement sur l'une des deux seules chaises du salon. Luna avait à présent trois ans. Le temps avait filé à une vitesse extraordinaire. Comment pourrais-je survivre à un accès plus limité de cette enfant que j'aimais depuis les mille derniers jours ? Je ne le savais pas et n'osais l'imaginer sans un pincement douloureux au cœur. L'amour fait mal, toute chose a un prix, se donner c'est perdre un peu de soi, on ne retient pas un être aimé en fermant les bras, les changements demandent toujours plusieurs sacrifices… Tous les adages populaires défilaient dans ma tête, sans l'ombre d'un minuscule réconfort.

C'est alors que je pensai à une situation répandue dans notre culture. Celle de la séparation des couples et des enfants qui se promènent d'un foyer parental à l'autre. C'était la première fois que je pouvais imaginer la douleur de se séparer de son enfant, ne serait-ce que quelques jours par semaine. L'on parle souvent des conséquences et des séquelles de la situation sur la progéniture. Mais je ne me souvenais pas avoir beaucoup lu ou entendu parler de cette douleur de la séparation... Bon d'accord, nous n'étions pas un couple, mais il me semblait que ma situation devait ressembler étrangement à ce que doivent vivre des milliers d'adultes et d'enfants. Quelle tristesse, me disais-je... quelle souffrance!

Ariane entra dans le salon, le feu aux joues.

– Miguel et Harry sont déçus. Ils espèrent que nous pourrons être sur la route très tôt demain matin. Ils ont hâte de nous voir, dit-elle.

Harry... je l'avais presque oublié celui-là. Depuis un an, je recevais des lettres enflammées de cet homme inconnu. La première lettre était arrivée avec le retour d'Ariane, lors d'un précédent voyage. En défaisant ses valises, elle m'avait tendu l'enveloppe, en m'expliquant qu'Harry avait vu ma photo et me trouvait totalement séduisante. J'avais ouvert le message et avais constaté les mots en espagnol. J'avais regardé Ariane d'un air « ai-je l'air de comprendre l'espagnol depuis hier ? » Ariane avait repris la lettre et en avait fait la traduction.

– Qu'est-ce que tu veux que je fasse de cela Ariane, m'étais-je exclamée. J'espère que tu lui as bien fait savoir que l'amour à distance, ce n'est certainement pas pour moi. Qu'il n'est pas question que je serve de laissez-passer pour le Canada!

– Tu dramatises, Gaby, ça ne veut pas dire qu'il se cherche une femme canadienne à marier. C'est toi qu'il trouve intéressante...

— Ben oui, un peu comme ceux qui se choisissent une femme par catalogue !

— Ça ne t'engage à rien, tu le sais très bien. Au pire, tu auras un amant pour ton prochain voyage à Cuba…

J'avais haussé les épaules et lui avait demandé de lui répondre un petit mot poli, sans plus. Au fil des mois, Harry ne s'était jamais aperçu que sa réelle correspondante était Ariane. Pas plus d'ailleurs que je m'étais aperçue qu'Ariane en profitait pour poser des questions sur Miguel, auprès de son meilleur ami, juste pour s'enquérir subtilement…

Le lendemain matin, lors du réveil provoqué par une petite lève-tôt du nom de Luna, j'ouvris les yeux après une mauvaise nuit de sommeil. Je n'étais pas de meilleure humeur et l'excitation d'Ariane me tapait sincèrement sur les nerfs.

La voiture était enfin disponible et il avait été convenu que je conduirais. Le choix avait été facile et stratégiquement efficace. Pour avoir vécu des expériences similaires dans le passé, nous imaginions aisément les événements qui se produiraient tout au long du trajet. Ainsi, il était prévisible que nous serions interceptées par des policiers soucieux de recevoir des pots-de-vin. Sans doute sous prétexte que la voiture circulerait trop rapidement, alors que le policier serait assis sur une chaise, le long de la route, et ce, sans radar… ce n'est qu'une vague impression. (Pour davantage de plaisir, laissez-vous aller et ajoutez- lui un parasol et un *mojitos* dans la main.) Ou encore, qu'il serait nécessaire de faire un contrôle d'identité, puisqu'Ariane ressemblait à s'y méprendre à une citoyenne cubaine.

Sous le régime de Fidel, la mixité interculturelle avait toujours un prix.

Depuis les nombreux voyages, nous avions à notre tour développé une stratégie de réponse simple. Ariane ferait semblant de ne pas comprendre un traître mot en espagnol, pendant que je jouerais à la « touriste en panique » parce qu'elle ne comprend pas la teneur des propos. Le coup était efficace et rapide. De façon générale, devant mon hystérie et mon flot de paroles en français, les policiers préféraient remettre les papiers et ne pas poursuivre l'arnaque plus longuement. Dans ce présent trajet, entre le dépassement d'une chèvre, d'une charrette, d'un cheval ou d'un cochon, nous avons été interceptées à deux reprises. Les arrêts n'avaient été que de courte durée, je raffinais mon jeu depuis un moment.

À l'entrée du village, j'aperçu Miguel et son compagnon. Les deux hommes étaient chargés de fleurs et souriaient de toute la blancheur de leurs dents.

— Mais qu'est-ce qu'ils font sur le bord de la route, en plein soleil, demandai-je, un peu surprise ?

— Ils avaient hâte de nous voir ; ils nous attendent depuis deux heures, je crois. Miguel ne voulait pas manquer notre arrivée.

— Tu es sérieuse ? Il fait une de ces chaleurs aujourd'hui…

Ariane lui sourit fièrement. Selon toutes évidences, Miguel venait de marquer son premier point de la semaine. À vrai dire, avec les fleurs, c'est deux points qu'il venait de compter. Décidément, mon adversaire serait coriace. Ding, ding, le match venait de commencer…

Fallait également garder en mémoire la stratégie de diversion « Harry » qui jouait en sa faveur.

Je sortis de la voiture et rencontrai Miguel et Harry. En définitive, Harry avait un beau genre physiquement. Il parlait certes l'espagnol, mais j'appris rapidement qu'il s'exprimait également en anglais. Nous pourrions au moins nous comprendre. Toutefois, avec Miguel, je devrais passer par la traduction simultanée d'Ariane. Les hommes remirent les fleurs et s'informèrent de la qualité du déplacement depuis le Canada.

Au moment où Miguel voulut prendre Luna dans ses bras, la petite poussa un petit cri de refus. Ariane lui proposa de prendre son temps et de lui laisser la chance de prendre contact avec son paternel, tout doucement. Miguel n'entendit pas les recommandations et il reprit Luna dans ses bras pour l'embrasser. La petite hurla de terreur, ce qui eut l'effet de surprise escompté et l'obligea à déposer l'enfant au sol. Dès qu'elle fut sur ses pieds, elle en profita pour se réfugier rapidement derrière mes jambes. Le pointage était maintenant de deux pour Miguel et de un pour moi. Lui et moi eûmes un bref échange visuel… la rivalité était maintenant officielle.

Je tentai de déposer Ariane et Luna chez Miguel. Je voulais profiter des retrouvailles avec la famille élargie afin d'aller prendre possession de ma chambre d'hôtel. Ce ne fut pas possible. Je compris rapidement qu'il ne serait pas question que je puisse disparaître, jusqu'au lendemain, de façon incognito. D'abord, puisque de nombreuses personnes s'étaient déplacées pour l'arrivée des Canadiennes, mais aussi parce qu'Harry s'était mis en tête de profiter des moindres moments en ma présence. Alors que j'étais occupée par Harry et la famille élargie, Miguel profita de l'occasion pour s'éloigner un peu avec Ariane. Un deuxième bref échange visuel. D'accord… Je lui accordais un point supplémentaire, s'il considérait qu'il venait de marquer.

Puis, j'aperçus un autre regard. Celui d'une petite fille de six ou sept ans qui regardait discrètement Ariane et Luna. Ce regard était d'une tristesse et d'une résistance à faire frémir. Je compris qu'il s'agissait de Johanna, la demi-sœur de Luna. Elle était l'enfant qui risquait de perdre la présence de son papa, au profit d'une femme d'apparence riche et d'une petite sœur qu'elle connaissait peu. J'eus un troisième contact visuel avec Miguel. Cet ajout d'un point en ma faveur était à la fois insatisfaisant et bouleversant… tout en étant bien réel.

Bien qu'il m'arrivait rarement de mépriser Ariane, à cet instant, c'est le sentiment que j'eus à son égard. Il y a des fois où la projection sur l'autre d'un sentiment que l'on possède pour soi-même, ses pensées et ses comportements, nous permet de demeurer en équilibre plus longuement dans notre folie. Il permet le soulagement temporaire d'un trop-plein d'émotions qui arrive de manière décousue et illogique. Je sentis immédiatement un attachement pour cette fillette qui vivait, à sa manière, le même drame que moi. Sauf que la petite était une enfant et moi, une adulte. La petite avait la légitimité de vivre l'histoire de cette façon, moi, pas vraiment.

– Gabrielle, dit Ariane, ils vont cuisiner un cochon en ton honneur.

– C'est que j'avais prévu souper à l'hôtel…, demande-leur de ne pas se donner cette peine, tu veux ? dis-je sur un ton d'angoisse, tout en maintenant un sourire forcé pour la galerie.

— Impossible, ce serait perçu comme un geste d'impolitesse. Alors, tu vas maintenir ton sourire plus longuement et dire *gracias*.

— *Gracias*, dis-je avec un fort accent.

Il n'en fallut pas davantage pour que la foule massée devant moi éclate d'un rire généralisé. Harry me prit l'épaule en me disant :

— *You are so cute with your accent…*

Je le remerciai du bout des lèvres, tout en décochant un bref regard de tueuse à l'égard d'Ariane, qui le comprit immédiatement. C'est à ce moment que j'entendis le cri strident d'un enfant, qui semblait appeler à l'aide. Le premier réflexe que j'eus fut de chercher l'origine de ce S.O.S. Bien que je fusse en sol étranger, mon réflexe de travailleuse sociale de la Direction de la protection de la jeunesse voyageait toujours en ma compagnie. Toutefois, je portai rapidement mes mains à mes oreilles et pris mes jambes à mon coup au moment où je vis qu'il ne s'agissait pas d'un enfant… mais du cochon que l'on égorgeait en mon honneur.

Personne ne comprit vraiment ce qui venait de se produire. Les habitants n'eurent que le temps de percevoir une Canadienne sortir en marmonnant dans une langue étrangère… des mots qu'heureusement ils ne saisirent pas. « Calice de tabarnak… Hostie d'île perdue du crisse… Mais qu'est-ce que je fais ici ? Qu'est-ce qui m'a pris de dire oui… », me disais-je au moment où Harry vint me rejoindre à l'extérieur pour s'assurer que j'allais bien.

Décidément, j'aurais bien pris un verre d'alcool et un billet de retour dans l'immédiat. Je laissai Harry me faire la conversation et m'offrir un bijou, qu'il gardait pour un peu plus tard. Il jugeait le moment opportun, malgré ses plans initiaux. Alors qu'il aurait voulu me soulager, je ressentis l'étau se resserrer davantage sur moi. Je suis une réelle Gémeaux… j'ai besoin d'espace et d'air. Donc, avant de m'effondrer en larmes, je me concentrai sur la beauté du paysage. Je pensai aussi au fait que je devrais manger très prochainement un cochon tué en mon honneur… le même avec lequel jouait Luna depuis son arrivée. « Mais qu'est-ce que je fais ici ? Mais qu'est-ce que je fais ici ? » C'était le discours que je repassais inlassablement dans ma tête, alors que l'Univers m'offrait « Harry ».

— Gaby, tout est correct ? me demanda Ariane qui venait me rejoindre.

— Bien sûr… Tout va bien… Je ne sais pas pourquoi tu te poses cette question. Peut-être est-ce en lien avec le sacrifice, sur un fond de *Santéria,* auquel je viens d'assister. Ou encore, dû au fait que j'ai un « pot de colle » sur moi. Non, mieux encore, c'est sûrement à cause du regard de Johanna sur toi et Luna. Ce même regard qui te coule sur le dos comme sur celui d'un canard, lui répondis-je sur un ton sarcastique très près de la colère.

— Les nerfs ! On dirait que tu es en choc culturel, ma belle, me répondit Ariane.

— Va chier, Ariane… Je veux aller à l'hôtel, dès le souper terminé, tu m'entends ? Trouve une excuse, la « tourista », la fatigue… je m'en fou, mais trouve !

Sur cet échange un peu musclé, j'aperçus le sourire en coin de Miguel. Il n'en fallait pas plus pour que je recommence mon éternelle rengaine interne : «Mais qu'est-ce que je fais ici ? Qu'est-ce qui m'a pris de dire oui ? »

Le souper fut excellent, bien que je ne mange que pour la forme. Toutefois, je me montrai d'une politesse exemplaire. Ni Miguel ni moi ne nous regardâmes durant toute la période du souper. À son départ, Harry m'offrit de m'accompagner et de dormir avec moi à l'hôtel ; offre que je déclinai gentiment. Luna ne voulut pas me laisser partir sans heurt et Ariane me fit ses dernières recommandations de sécurité, pour les derniers kilomètres que j'allais parcourir seule. Sur une route sans lumière, sans indication et obstruée par des troupeaux de toutes sortes. Je la remerciai sèchement et nous convainquîmes de nous retrouver le lendemain. Avant de partir, je me retournai vers Ariane et lui dit :

— Bon ben, je vais aller prendre une bonne douche chaude. Je te souhaite une bonne hygiène « à la mitaine », avec une chaudière, de la bonne eau froide et sous les regards des passants. Aussi, je te souhaite un bon soulagement de tes besoins fécaux dans la bécosse située au fond du jardin, entourée de bestioles et de rats... comme tu en raffoles.

— Je t'aime aussi Gaby ; à demain, mon amie.

— À demain... Passe une belle nuit, avec ton homme. J'admets que de ce côté, je te comprends.

***

Au petit matin, je pris le loisir de faire une longue marche sur la plage. Les employés que je croisais, tous souriants, m'envoyaient des « Hola Gaby » par ici et des « Hola, Gabrielle » par là. Quelle étrange situation pour une touriste qui vient à peine d'arriver. Pourtant, mon dernier passage à cet hôtel datait de plusieurs années. Il était donc impossible qu'ils me reconnaissent.

Je pris place sur une chaise longue, presque face à la mer. Je devais récupérer Ariane et Luna quelques heures plus tard. J'en profitai donc pour observer les hommes qui travaillaient torse nu. Mon regard s'attarda sur un adonis au corps ruisselant et tout bronzé. À la lueur de cette image, je m'entendis chanter doucement « Si tu aimes le soleil tape des mains... si tu aimes le soleil tape des mains... ». Derrière mes lunettes de soleil, je m'imaginais danser une salsa langoureuse avec cet inconnu. Après tout, mes cours de danse latine devaient bien pouvoir servir à bon escient, un de ces jours. L'image me fit sourire et rêvasser. Je commençai à m'imaginer une scène plus croustillante. Confondant cet adonis avec un soupçon de Francisco Randez (objet de mes fantasmes depuis plusieurs mois), allant même jusqu'à lui ajouter la voix langoureuse et sensuelle de James Hyndman. La divagation sensuelle devenait sexuelle. Celle qui me ferait accepter de rester au lit des jours durant. L'image était parfaite. Du moins, jusqu'au moment où l'adonis m'aperçut et se dirigea vers moi.

– Bonyour Gaby... Y'é suis Carlos. Ton « novio » Harry a demandé qu'é y'on s'occupe très très bienne d'é toi...

– Mon quoi, dis-je en m'étouffant.

Je tentai de me rappeler rapidement mes mots de base en espagnol et si j'avais raison, « novio » égalait le mot « chum » ou pire encore, le mot « conjoint ».

– Harry… lui être heureux qu'é tou sois ici, avec lui.

– Ah bon… merci beaucoup, dis-je.

Merde, de merde, de merde… Ce Harry a marqué son territoire, me dis-je en mon for intérieur, en l'imaginant uriner sur tous les palmiers du site hôtelier. Adieu, baise qui aurait pu être inoubliable…

– Bon yournée, mi amor… y é suis à ta disposition, toi pas oublier, Gaby.

– D'accord, répondis-je avec une certaine déception.

Décidément, la semaine ne risquait pas de s'améliorer. Comme de fait, le reste de la semaine prit la forme suivante. Moi qui récupère les filles au village le matin et qui les reconduis le soir. Moi qui débourse l'entrée quotidienne d'Harry (trente dollars) sur le site hôtelier et qui refuse qu'il me tienne au chaud durant la nuit. Harry qui me suit comme un garde du corps. Harry qui fait des signes réprobateurs à tous les hommes qui s'avèrent être polis et intéressants pour moi. Harry qui me demande pourquoi je ne mange pas davantage, alors que le buffet offre une grande variété. Harry qui ne comprend pas pourquoi je ne porte pas son bijou tous les soirs et qui se permet de bouder, en ce sens. Harry qui me siffle, lorsque je sors de la mer, toute ruisselante et en bikini. Harry qui insiste pour danser avec moi et empêche les autres d'en faire la demande. Harry qui me parle de ce qu'il voudrait devenir et faire au Canada. Harry qui constate mon talent en matière de conduite automobile et pense que je pourrais facilement être la conductrice d'un ministre. Moi qui réponds que je ne serais pas conductrice, mais plutôt ministre. Harry qui s'offusque de mes réponses et me dit qu'une femme ne devrait pas répondre de la sorte. Harry qui tente de me prendre la main ou les épaules dès que nous sommes en public. Harry qui ne me laisse jamais une seconde pour respirer. Harry qui monopolise toute mon attention et qui me demande de lui acheter ceci ou cela. Bref, Harry me sort par les oreilles et bien que j'aurais pu utiliser Harry comme vibrateur humain géant, la personnalité de Harry ne me plaît pas, alors je m'ennuie encore davantage de Philipe.

Ensuite, il y a moi et Ariane. Ariane qui me dit que j'exagère sur les comportements d'Harry. Qui me répète continuellement que je suis difficile d'approche et qu'il est très gentil. Ariane qui conseille à Harry de me laisser un peu d'air. Ariane qui dit à Harry que c'est normal que je ne veuille pas nécessairement porter tous les soirs son bijou, tout simplement parce que j'en ai d'autres dans ma valise. Ariane qui dit à Miguel et Harry que je ne suis pas obligée de manger davantage, si je n'ai pas faim. Ariane qui tente de faire en sorte que Miguel s'intéresse davantage à moi, alors qu'en aucun temps il ne tente de m'adresser la parole. Moi qui trouve qu'Ariane se débarrasse bien de ma présence, en m'obligeant à payer quotidiennement la présence d'Harry. Moi qui remets en question la compréhension de mon amie, lorsqu'elle fait semblant de ne pas voir à quel point Harry est un pot de colle. Moi qui boude Harry et qui laisse Ariane entretenir

Harry pour éviter le drame. Ariane qui finit par convenir qu'Harry est une vraie tache et que finalement, je n'exagérais en rien. Ariane qui constate que personne (je parle de sexe masculin ici) n'est autorisé à créer un lien plus « significatif » à cause d'Harry. Ariane qui s'excuse de peut-être avoir entretenu une certaine ambigüité dans les échanges de lettres avec Harry. Moi et Ariane qui discutons inlassablement de tout ce qui nous sépare de la culture cubaine. Ariane qui semble oublier qu'elle est née et a été éduquée au Québec, alors qu'elle fait sans aucune subtilité ni nuance l'éloge de la vie cubaine. Moi qui deviens automatiquement la porte-parole en chef des féministes (ce que je ne ferais jamais ou très peu au Canada) et des hommes québécois (ce que je ne fais pas non plus au Québec). Finalement, Cuba est plus au sud que le Mexique, donc en définitive… plus près de l'enfer !

Puis, il y a moi et Miguel. Miguel, qui change de pièce dès que j'arrive. Miguel, qui écoute de la musique dans son MP3 si je m'assois près de lui. Miguel, qui semble toujours sur le bord d'une dépression nerveuse dès que Luna refuse d'être dans ses bras et court vers moi. Miguel, qui doit s'asseoir à côté de moi dans la voiture (il est le plus grand et, culturellement, les gens s'installent dans la voiture par mixage de sexe) et tripote la radio en m'évitant. Miguel, qui soupire lorsqu'Ariane me parle trop longuement. Miguel, qui refuse qu'on lui paie une liqueur ou autre sucrerie (tout à fait à l'inverse de son meilleur ami). Miguel, qui semble assez timide dès qu'il est à ma table, mais qui devient sociable et enjoué dès qu'il croise un de ses compatriotes. Moi, qui dis à Ariane que « côté adaptation » de son Miguel, on repassera. Moi, qui ne comprends pas comment elle peut être bien dans ce type de relation, totalement inégalitaire. Inégalitaire en termes de moyens financiers, de façon de vivre la relation homme/femme et surtout, en termes de mode de vie quotidien. Moi, qui ressens une certaine antipathie pour Miguel. Moi, qui tente de trouver des sujets de conversations et qui se bute à des « oui » ou des « non », via la traduction d'Ariane, de plus en plus désespérée.

Puis, la veille du départ, alors que le rhum coulait à flot… Miguel se tourna et me regarda. Sous la pression d'Ariane et l'amenuisement du temps de notre présence en sol cubain, il tenta d'avoir une conversation avec moi.

— Gaby, me dit-il. Y é n'é t'aime pas mucho…

Surprise de cette affirmation, non pas en la qualité de sa teneur, mais parce qu'il a fait l'effort de me le dire en français, je lui répondis tout doucement :

— Miguel, moi non plus…

Silence.

Je repris la conversation en demandant à Ariane de traduire. Comme elle n'avait pas suivi les précédents échanges, elle ne comprit pas de quoi il s'agissait. Elle lui traduisit :

— Au moins, c'est dit et c'est transparent. Nous avons enfin un point en commun, autre qu'Ariane et Luna. Tu veux danser avec moi maintenant ?

Miguel se leva et me prit la main, sous l'air désapprobateur d'Harry. Tout sourire, nous avons dansé ensemble durant une bonne partie de la soirée. Sans nous comprendre vraiment, nous savions tous les deux que les dés étaient jetés. Je dus concéder la victoire du bras de fer de la semaine à cet homme qu'Ariane avait choisi. En plus, soyons bonne joueuse, c'était moi l'invitée là-bas. Alors, pour le bien de tous, il devint évident qu'il valait mieux apprendre à se connaître et finir par s'apprécier.

Au moment du départ, alors que tous versaient une larme, sauf moi et Luna… j'ai salué la famille élargie et la petite Johanna. J'ai remercié Harry pour sa présence (politesse oblige, particulièrement à la vue de la petite larme dans le coin de son œil gauche). Puis, j'ai serré Miguel dans mes bras, en lui disant « À bientôt, à la maison au Canada ». Je savais déjà à cet instant qu'Ariane avait pris sa décision, et ce, même s'il n'en avait pas encore été question.

Dans l'avion, Ariane m'a demandé ce qui c'était produit pour que je change d'idée à la dernière minute concernant Miguel. Je n'ai jamais voulu répondre réellement à Ariane. Peut-être qu'un jour, Miguel lui racontera… Mais pour l'instant, il garde également le secret. Peut-être que certaines relations peuvent seulement prendre naissance dans des alliances particulières et dans l'adversité, qui sait…

Ce n'est que plusieurs heures après le départ, alors qu'Ariane s'assoupit dans l'avion, que je laissai couler des larmes. Au même moment, j'eus l'image de Philipe. Je me demandais si la vie avait réellement un plan pour chacun d'entre nous. Si toutes ces années avaient été nécessaires. Si tous les événements avaient servi à nous préparer. À travers mon amour pour Luna, j'avais réalisé à quel point mon cœur était extensible. À quel point je pouvais, par moment, être une femme fière de mes comportements et mes valeurs. J'avais appris à regarder un reflet différent de moi-même dans le miroir. Celle d'une femme loyale, présente, généreuse, attentionnée et responsable. La partie de moi qui avait eu peur du changement, durant la grossesse d'Ariane, avait eu tort. Je n'ai jamais regretté la présence de Luna dans mon quotidien ; enfant pour qui je donnerais maintenant ma vie. Alors qui sait, peut-être que l'arrivée de Miguel aurait ce même dénouement heureux, à travers le bonheur d'Ariane, ma « presque sœur ». Peut-être que d'accepter le besoin profond de partager ma vie avec un homme serait la première étape de la découverte d'une partie de mon cœur qui ne demande qu'à croître et être exploité.

« Seigneur, faites que la vie ne soit pas chiche envers moi. Faites qu'il existe aussi une histoire heureuse qui m'attend tout près. Faites que cette femme, dont je ne connais pas l'identité, celle-là même qui partage la vie de Philipe… trouve aussi très bientôt celui qui lui est destiné… de cette façon, il pourra me revenir, enfin ».

Au même moment, sur le rebord du bain podium, une autre fleur de mon orchidée venait de se détacher délicatement.

# Gabrielle et le mariage de Rachel

L'une des poules est sur le point de se marier. J'ai reçu le carton d'invitation et encore une fois, je retourne l'enveloppe en répondant que je ne serai pas accompagnée. Cette fois-ci, par contre, je trouve la situation moins grave que par le passé. D'abord, parce que certaines des autres poules seront seules. Ensuite, parce que le mariage de Rachel est certainement le plus beau des messages d'espoir des dernières années.

Rachel est une grande avocate et une gestionnaire exceptionnelle. Elle est d'ailleurs la meilleure amie de Victoria depuis l'âge de cinq ans. Depuis la période de la fin du cégep, Rachel a rarement été en couple. On lui connaissait quelques aventures, mais pour le reste, le calme plat. Rachel, femme de tête et de cœur, représente probablement bien le profil de la femme qui fait peur. Intelligence vive, arguments prompts et logiques, combative et forte. De belle apparence, mais qui n'utilise pas vraiment son charme physique. Toujours bien mise, des ongles toujours impeccables et un maquillage discret. Décorum professionnel oblige, ses vêtements sont de qualité et les coupes sérieuses. Rachel est une femme discrète et secrète. Nous ne l'avons que très rarement entendue se plaindre de son statut de célibataire. Toujours à l'écoute, mais difficilement cernable. Rachel possédait au fond ce mystère qui ne demandait qu'à être découvert.

Rachel a fait la connaissance de Rémi il y a un peu plus d'un an. Rémi était un ami d'une connaissance. Ce n'est qu'après plusieurs semaines qu'elle s'est décidée à entrer en contact avec ce dernier. La première rencontre a été correcte, mais sans plus. Rémi ne correspondait pas nécessairement à ses critères physiques, bien qu'il soit un homme agréable à regarder.

Lors de la deuxième rencontre, Rachel n'avait toujours pas idée de ce qui l'attendait. Ce n'est qu'à la troisième rencontre que Rémi est apparu plus clairement à ses yeux. Les raisons de ce déclic ? Nous ne le saurons vraisemblablement jamais, puisque Rachel est une tombe. Le reste est une histoire d'événements succincts et intenses. Au bout de quelques semaines, il devenait clair qu'il se passait quelque chose d'important.

Après deux mois, coup de théâtre : Rémi habitait presque à temps plein chez Rachel, alors qu'elle avait toujours habité seule. Le week-end, nous n'entendions presque plus parler d'elle, et il fallait vraiment s'y prendre à l'avance pour s'assurer qu'elle soit présente à nos événements de poules… qu'elle manquait d'ailleurs parfois.

Lors de notre célèbre voyage au Mexique, Rachel et Rémi étaient ensemble depuis trois mois et Rachel s'ennuyait ferme de lui. Elle essayait de le cacher, mais personne n'était dupe. Ce fut d'ailleurs l'une des principales causes de nos sourires de connivence, dès qu'elle s'absentait. À ce moment, nous n'avions pas encore fait la connaissance de Rémi. Mais le moment approchait, nous le verrions dès notre retour à l'aéroport, puisqu' il viendrait l'accueillir.

Nous étions dans l'avion, à quelques minutes de l'atterrissage. Rachel était à la fois excitée et un peu nerveuse, malgré le fait « qu'elle ne nécessitait en aucun cas notre approbation face à Rémi » (ce sont ses mots exacts). Autre sourire de connivence au sein du groupe. Toutefois, je suis prête à parier que chacune d'entre nous avait clairement en tête le stress provoqué par « les présentations officielles » auprès des poules. Ce n'est jamais un moment facile, du moins pour les premières minutes.

Au même moment, à l'aéroport, Ariane descendait de sa voiture et détachait Luna de son siège d'enfant. La petite était heureuse, elle venait chercher sa marraine et, depuis toujours, nous avions un jeu ensemble lors des retrouvailles. D'ailleurs, nous le pratiquions souvent avant le départ de la petite pour Cuba, où l'attendait son papa. Le rituel consistait à courir comme dans les films, puis à se jeter dans les bras l'une de l'autre en se donnant mille baisers. Il s'agissait également d'un concours de vitesse entre celle qui apercevrait l'autre en premier.

Luna était excitée et pressée. Elle tirait sur la main d'Ariane pour qu'elle accélère le pas afin d'être dans un bon angle de vision, face à la porte. Ariane perdit un peu l'équilibre et entra en collision fortement avec un homme. L'homme s'excusa poliment et reprit sa position face à la porte. Il semblait anxieux ou, du moins, dans le même état d'âme que Luna. Ariane l'observa un moment, puis soupira. « Que c'est beau un homme amoureux », se dit-elle.

Les portes s'ouvrirent et les poules furent premières devant tous les passagers. Luna chercha et trouva. Ariane n'eut pas le temps de lui prendre la main que la petite était déjà parmi la foule, tentant de me rejoindre. Elle arriva au même moment que Rémi, l'homme de la collision… qui lui n'avait d'yeux que pour Rachel. Le temps de leurs retrouvailles s'éternisa juste assez pour qu'Ariane prévienne les poules de ce dont elle avait été témoin (les potins circulent à la vitesse de l'éclair… c'est connu). Toutes les poules, dès lors, approuvèrent le choix de Rachel, malgré qu'elle n'en avait vraiment pas besoin !

Après la période des Fêtes, Rachel et Rémi partirent en Asie pour un périple d'un mois. Les voyages, ça passe ou ça casse, c'est ce qu'on dit. Et bien, ils passèrent avec succès et Rémi fit sa demande en mariage. Rachel accepta sans hésitation. Entre temps, les événements se placèrent encore plus rapidement. Achat de la maison de rêve, retrait du stérilet, promotion au travail… l'amour, l'amour toujours l'amour.

Vraiment, cette histoire en est une d'espoir. L'espoir de rencontrer un Rémi, qui n'a pas craint la force de Rachel. Qui, dès les premiers instants de leur rencontre, à ses dires, savait qu'elle était une perle rare et que l'investissement en vaudrait le coup. Gageons que ces deux-là, qui se sont rencontrés sur le tard, rattraperont tout le monde au final.

L'enterrement de vie de fille de Rachel eut lieu lors d'un beau week-end du mois de juillet. Pour l'occasion, nous avions décidé de repartir entre poules dans un spa. L'idée semblait géniale. Nous avions déjà donné dans le style *gogo boy*, quelques années auparavant, pour le mariage de Justine. D'ailleurs, nous gardions un souvenir impérissable du « trou » où nous nous étions rendues pour apercevoir quelques pénis. Les danseurs semblaient blasés, les chorégraphies étaient ridicules et l'endroit puait la sueur et l'huile bon marché. Nous avions eu l'horreur de constater que parmi les spectatrices, plusieurs connaissaient « par cœur » les numéros des danseurs. Nous avions également vécu l'étrange expérience d'y revoir un ancien camarade de classe de l'école secondaire. Il avait semblé franchement gêné de sa prestation devant notre groupe… tout comme nous d'ailleurs.

Le week-end spa s'est déroulé dans une ambiance un peu insolite. Du moins pour moi, qui ai toujours cette tendance à voir les événements et interpréter la vie d'une façon un peu romancée. D'un côté, nous avions Rachel qui se préparait à vivre son mariage et, de l'autre, il y avait Justine, séparée depuis peu.

– Comment vas-tu, Justine ? lui demandai-je dès que nous fûmes un peu plus à l'écart des autres poules.

– Ça va, je ne pleure pas trop et je mange un peu, me dit-elle.

– Les garçons, comment vont-ils ?

— C'est difficile, je pense qu'ils m'en veulent. C'est le bordel et les crises à la maison. Mon fils aîné me boude, me parle continuellement de leur père et m'écoute très peu. Mon cadet est plus silencieux, un peu inquiet. Il fait des cauchemars, me demande continuellement ce que je vais faire de mes journées, au moment où ils vont rejoindre leur père.

— C'est un peu normal, lui dis-je. Tu le sais qu'à la maison, ton conjoint avait clairement le rôle de l'autorité. Tu sais, toutes les fois où il t'a ridiculisée devant les enfants. Toutes les fois où il faisait preuve de violence envers les objets ou toi, et qu'ils en étaient témoins. Toutes les fois où tes garçons t'ont vu baisser les bras et acheter la paix. Toutes les fois où tu as pleuré après une altercation et que tu t'es excusée de tes comportements pour acheter la paix… bien ça finit par détruire ta crédibilité sur ton autonomie, ton autorité et ton rôle de mère capable de protéger tes petits.

— C'est ton point de vue, Gaby. Tu me parles de mon couple comme si j'avais vécu une situation de violence. Ce n'était pas juste ça, ma vie… Parfois, mon chum était d'une douceur et d'une gentillesse que tu ne peux pas imaginer, me dit-elle sur un ton de colère.

— Mais c'est évident, Justine. Les hommes violents ne sont pas violents vingt-quatre heures sur vingt-quatre. Sinon, qui voudrait bien demeurer dans une situation de cette nature ? lui dis-je.

— Toi et ton féminisme, tu ne t'es jamais demandé pourquoi tu étais célibataire, Gaby ? me dit-elle sur un ton un peu trop fort à l'intérieur d'un spa.

Nous entendîmes une employée nous demander de garder un peu plus de décorum pour les autres clients. Lily avait entendu notre dernier échange et venait à notre rencontre. Elle fit également signe à Victoria de s'approcher.

— Qu'est-ce qui se passe ? demanda-t-elle.

Justine lui répondit qu'il ne se passait rien. Elle prit sa serviette en indiquant qu'elle allait dans le bain-tourbillon.

— Calvaire que j'la comprends pas ! dis-je à Lily.

— Tu as essayé de lui parler de sa situation de violence conjugale ? me demanda-t-elle. Je lui fis signe que oui. Gabrielle… tu sais bien qu'elle ne veut pas entendre ce genre de commentaire, pour le moment.

— Je le sais, Lily. Si tu savais comment j'ai juste envie de débarquer chez ce connard pour lui dire ma façon de penser…

— Nous aussi Gaby, mais on ne fera rien. C'est à elle de faire tout ça, au moment où elle sera prête. Va la voir, elle est seule en ce moment, me dit-elle.

C'est ce que je fis, toujours sous le regard insistant de Victoria. En me glissant dans le bain-tourbillon à ses côtés, je lui pris délicatement la main.

— Je te demande pardon, Justine. Je t'aime de tout mon cœur et j'ai une bien mauvaise façon de te le démontrer… Je te fais confiance, tu vas trouver ton chemin et je serai là à tes côtés, peu importe ce que tu fais.

— Je m'excuse aussi d'avoir dit que tu méritais ton célibat. Je ne le pense pas, Gaby.

— Ne t'inquiète pas, je l'avais cherché. De toute façon, je préfère que tu ripostes plutôt que de te taire, lui dis-je, affectueusement.

Les autres poules vinrent nous rejoindre les unes après les autres. Lily, en nous regardant toutes chacune à notre tour, murmura doucement, pour ne pas faire réagir l'employé du spa :

— Une chance qu'on s'a, les poules… Rachel, nous te souhaitons toutes sincèrement un mariage heureux, doux et prospère.

Et Justine ajouta :

— Rachel, en tant que seule poule officiellement mariée, j'ai le devoir de t'informer de certaines choses. Ainsi, même si tout est «cliché», je vais te dresser la liste de ce qu'une femme qui vivra avec un homme pour plusieurs années doit savoir, histoire de te sensibiliser sur le fait que tu ne seras pas la seule. Rachel, il y aura maintenant du poil partout. Dans l'évier, le bain, sur la toilette, partout… Et il ne prendra plus la peine d'effacer sa trace. À l'automne et au printemps, ils muent, tu le constateras dès la deuxième année. En parlant de toilette, durant la nuit, n'oublie pas d'ouvrir la lumière ou de tâter le bol, afin de situer la lunette. Je sais, c'est cruel pour les yeux et dégueulasse pour la main. Les rots et les pets sont choses courantes. En plus, il va en rire… Il y a les émissions de sports et les films d'actions dont tu n'auras rien à foutre. Mais tu pourras te venger en regardant à nouveau la série *Ally Mcbeal*. Tu n'auras plus accès aux télécommandes et, à ce sujet, elles deviendront nombreuses, car la possession d'objets électroniques va croître de façon exponentielle. Si tu es chanceuse, il ne jouera pas aux jeux vidéo. Si c'est le cas, venge-toi à l'aide de la Wii Fit et propose qu'il participe à un jeu de musculature, au lieu de ses jeux de guerre. Finalement, il y a l'haleine du matin, les cheveux gras du week-end, les sous-vêtements… À ce sujet, tu vas découvrir ce que je veux dire, lors des brassées de lavage. Il y a aussi les petits trucs qui traîneront un peu partout. Tu sais, des trucs comme le dessus de l'emballage de son pouding et sa cuillère à café sur le comptoir et ce, tous les matins, malgré les précédents conflits à ce sujet. Bref, beaucoup de moments intéressants en perspective. Mais souviens-toi, tu ne seras pas seule à vivre ces mémorables instants. À nouveau, nous te souhaitons tout le bonheur nécessaire pour survivre à ces horreurs !

Les poules se mirent à rire, et eurent à nouveau un avertissement de la part de la direction du spa… ce qui eut pour effet d'augmenter l'hystérie collective et l'incapacité de se contrôler. Après l'avertissement suivant, les poules décidèrent de quitter et de poursuivre l'itinéraire de la journée et du week-end.

L'amitié et le sentiment d'appartenance sont parfois si magnifiques et magiques. Ils réconfortent, nous aident à grandir et nous donnent ce sentiment d'importance, que même le succès au travail ne peut offrir.

# Le mariage de Rachel (deuxième partie)

– Merde, Ariane… on est en retard !

– Gaby, as-tu le carton d'invitation sur toi ?

– Non, il est sur la table de ma cuisine.

– Il me semblait que le mariage devait avoir lieu dans le pavillon 2. Pourquoi alors il n'y a aucune voiture dans le stationnement ?

– Je ne sais pas… je ne peux pas croire qu'on va manquer le mariage de Rachel !

– Ne panique pas… on va trouver, Gaby. Dépêche-toi ! Marche un peu plus vite.

– Facile encore ! Quelle mauvaise idée les talons hauts de six pouces. C'est beau, mais pas pratique…

Clic, clac, clic… on n'entend que le bruit rapide de nos talons, dans le corridor du pavillon complètement vide.

– Regarde Ariane, la salle de réception est montée et il n'y a personne. Wow, regarde ces centres de tables… Ce sont vraiment les plus beaux que j'ai jamais vus.

– Je suis d'accord, Rachel a toujours eu beaucoup de goût. Merde, Gaby ! La cérémonie doit commencer dans deux minutes…

– C'est ridicule ! Où sont-ils passés ? Je vois une serveuse à l'extérieur, je vais le lui demander.

Clic, clac, clic…

– Pardon, mademoiselle ; sommes-nous au bon endroit pour le mariage de Rachel et Rémi ?

Clic, clac, clic…

– Nous sommes au bon endroit, mais la cérémonie a lieu dans l'ancienne chapelle, à deux stationnements d'ici… On prend la voiture ?

– Bonne idée, il fait tellement chaud que je vais en profiter pour m'aérer les dessous de bras à l'air conditionné ! Dépêche-toi Gaby…

Clic… clac… Vroum, vroum.

– Merde ! Je vois Rachel à l'entrée de la chapelle. On ne va quand même pas arriver après elle. Dépêche Gaby, cours !

Clic… clac… clic…

– Désolée Rachel pour le retard… Tu es magnifique… Peux-tu attendre quelques secondes ? Je pense que je viens d'apercevoir Lily qui court également un peu plus loin…

Clic… clac… clic… clac… clic… clac... Nous tentons d'entrer discrètement. Tous les invités se retournent en souriant, croyant que Rachel débute sa marche nuptiale. Justine fait un signe de la main. Elle est seule, assise dans une rangée où plusieurs sièges sont libres.

— Justine, où sont les autres poules ? demande Ariane.

— Je me pose la même question... Victoria est certainement avec Rachel, puisqu'elle est son témoin, mais pour les autres... aucune idée.

— Ben merde ! Nous sommes toutes en retard ? demande Ariane.

— Faut croire, répond Justine, sauf moi, qui suis assise toute seule comme une conne !

Les autres invités semblent s'impatienter. La mariée est à l'heure... on peut l'apercevoir par l'entrebâillement de la porte. Pourtant, elle attend. Quelques secondes plus tard, le reste des poules entrent en harmonie de clic, clac afin de prendre place.

— Franchement les filles, vous n'avez pas d'allure... c'est le mariage de Rachel, quand même ! dit Justine.

— Je sais, je sais... ce n'était pas voulu... On s'est toutes présentées à l'autre pavillon, réplique Lily.

— Vous êtes toujours en retard... Depuis les quinze dernières années, on ne s'est jamais présentées à l'heure pour une réservation au restaurant, répond Justine. Je suis toujours l'imbécile à l'heure... et seule à vous attendre.

J'interviens en chuchotant :

— Ça va, Justine ? Tu me sembles un peu sur les nerfs... Tu vois bien qu'on n'a pas fait exprès. C'est le mariage de Rachel... pas une réservation au restaurant !

— Ça va... Mais admettons que j'aurais préféré ne pas vous attendre toute seule. C'est certain que si j'avais été accompagnée, j'aurais trouvé ça plus facile, répond Justine. Je me sentais comme une « dinde » et tout le monde me regardait étrangement.

Les poules se regardent toutes discrètement. Justine vit son premier mariage en solo, ayant été la première à se marier et à présenter son conjoint au groupe.

La cérémonie se déroule sans encombre. Les mariés sont magnifiques et amoureux. Les poules sont émues et heureuses du bonheur de Rachel et de Rémi.

En regardant dans la salle et près de l'autel, je fais le constat suivant : il n'y a aucun homme célibataire, sauf celui accroché sur la croix. Une idée saugrenue me vient à l'esprit. Et si c'était ça mon destin ? Je suis une travailleuse sociale, profession qui a remplacée les « nonnes »... Je suis souvent dans l'abstinence sexuelle (à deux, j'entends). J'ai trente-trois ans. Peut-être que l'Univers me garde seule afin que j'accepte d'être « fiancée » à l'invisible ? Un peu comme maintenant... Plus j'y pense et plus cette « énormité » prend un certain sens en moi. Un léger frisson parcoure ma colonne vertébrale en entier.

Heureusement, une autre pensée prend place aussi rapidement et efface complètement l'absurdité de la précédente. Rien de mieux qu'une pensée insignifiante pour effacer une pensée profonde et torturante. Vive parfois la légèreté de mon être ! Ainsi, ma vocation de religieuse se transforme instantanément en un questionnement beaucoup plus « pratico-pratique » ; « Je me demande à quelle heure nous allons souper ce soir ? Il me semble que j'ai faim... »

La photographe prend les photos souvenirs et les invités se déplacent vers le pavillon de la réception. En entrant dans la salle, j'aperçois le conjoint de Justine. Il s'est installé confortablement à la table et attend patiemment.

— Lily !, dis-je en l'agrippant au moment où elle entre. Le « crac pot » est là… où elle est, Justine ?

— Ne cherche plus, Gaby. Elle vient de s'asseoir avec lui à la table. (Long moment d'observation) Laisse tomber, Gaby… On le savait qu'elle retournerait avec lui…

— Je sais. Mais je ne peux pas m'empêcher de croire qu'elle aurait dû lui mettre des limites claires bien avant. Du moins, qu'elle l'oblige à consulter.

— Peut-être la prochaine fois…

— Peut-être la prochaine fois…, soupirai-je en regardant Justine qui acceptait de reprendre sa bague, alors qu'il était à genou devant elle.

À l'autre bout de la salle, Victoria n'avait rien perdu de la scène. Lorsque je croisai son regard, tout fut dit entre elle et moi, et ce, sans aucun mot. Victoria retourna près de Rachel à la table d'honneur, en compagnie de son conjoint.

Perdue dans mes pensées, je m'imagine alors ma propre caricature. Celle du jour de mon mariage. Je me vois dans une robe ridiculement affreuse, accompagnée d'une chorale faussant les notes de la chanson *L'amour existe encore*. Je me vois, sur le point de marier le conjoint de Justine. Celui pour qui je prends un malin plaisir à fantasmer sur le moment fatidique ; celui où je dirais un « non » sonore, au lieu du « oui » traditionnel. J'entrevois les invités troublés par la réponse, tandis qu'Ariane, Victor et les poules crient en cœur « Bravo ! Bravo ! ». Ou alors, je dis « oui » et j'entrevois clairement le lancer du « bâton de baseball » sur la tête du marié, au lieu du traditionnel « lancer de la jarretelle » parmi les hommes célibataires. Je souris à l'idée de finalement voir entrer mon Philipe, se précipitant dans l'église en criant : « Je m'objecte à ce mariage… je suis son homme ! »

— Tu viens Gaby ? Les poules nous attendent à notre table.

— Je viens Lily… pas aussi souvent que toi… mais je viens, dis-je sur un ton d'humour.

— T'inquiètes pas Gaby : un jour tu seras grande et tu rattraperas mes nombreux spasmes de plaisir !

Sur cet échange, elle me prend par le bras et nous faisons un grand détour, afin de nous rendre de l'autre côté de la table. Du côté opposé de celui de Justine et de son conjoint.

# Gabrielle, Alexandra et Jérémie

J'ai reçu un courriel de Philipe il y a quelques jours. Depuis ce temps, je me sens envahie par lui et un peu mélancolique. Philipe et moi, nous nous connaissons depuis l'époque du cégep. Philipe était en fait un camarade de classe et parfois, il m'arrivait de le fréquenter, mais jamais seule en sa compagnie. J'occupais un emploi de préposée aux bénéficiaires dans un centre pour personnes âgées. J'avais, entre autres, sa grand-mère comme bénéficiaire. Bien avant son décès, elle avait cru que nous ferions un couple intéressant. Elle me parlait de lui régulièrement. Elle me vantait ses mérites et son bon cœur. Elle le connaissait bien, puisqu'ils étaient très proches l'un de l'autre. Mais moi, je n'avais que très peu d'intérêt pour ce dernier. Je fréquentais déjà un autre garçon, alors je n'ai pas porté attention à son discours. De son côté, Philipe avait un béguin pour moi. Mais je n'étais pas au courant et encore moins dans le doute.

Quelques années ont passé avant que je ne le revoie. Il aura fallu une soirée cocktail quelconque. Je me souviens que je n'avais pas l'intention de m'y rendre. J'avais reçu un appel téléphonique d'une des organisatrices, m'informant que l'un de mes anciens camarades de classe tenait spécialement à me revoir. Elle n'avait pas voulu m'informer de l'identité de ce dernier. Elle avait eu raison de se taire, puisque je ne crois pas que je me serais déplacée si j'avais su qu'il s'agissait de lui. Mais curiosité oblige, la tentation m'a conduite jusqu'au lieu du rassemblement. Philipe est maintenant mon fantôme, sauf qu'il est toujours en vie. Philipe, c'est lui, l'histoire de mon homme en couple inaccessible.

Au début de la soirée, Philipe n'était pas encore présent. Il a fait son entrée plusieurs heures après mon arrivée. Je me souviens de ce moment comme si c'était hier. J'ai eu l'impression que le temps s'était arrêté, au moment où il a cherché mon regard. J'ai ressenti immédiatement un coup de foudre intense devant cet adolescent devenu homme.

Il est venu me rejoindre à la table et nous avons passé la soirée ensemble, en compagnie d'anciens collègues de classe. Nous conversions parfois avec d'autres personnes, mais jamais très longtemps. Dès cette soirée, j'ai ressenti la crainte d'être séparée de lui, de ce sentiment puissant. Vers la fin de la soirée, Philipe m'a invitée au restaurant après que tous aient décidé d'aller dormir. Je l'ai suivi, parce que j'en mourrais d'envie. Au moment de nous quitter, plusieurs heures plus tard, nous nous sommes embrassés longuement. Philipe m'a raconté qu'il vivait un moment spécial. Celui de la réalisation de son fantasme d'adolescent. Du même souffle, j'ai aussi été informée qu'il avait une copine depuis quelques années. Il avait toutefois l'impression que sa vie reprenait le sens qu'elle aurait dû avoir, en ma compagnie. Il allait prendre les moyens nécessaires.

Ce soir-là, je n'ai pas accepté son invitation à le suivre à l'hôtel. Le désir était présent, mais j'avais aussi une réticence évidente. Celle de ne pas pousser plus loin la trahison envers l'autre femme que je ne connaissais pas. Nous nous sommes quittés en nous promettant de nous revoir dès que possible. Je lui ai laissé mon numéro de téléphone et je suis partie dans un état quasi euphorique.

Une année a passée avant nos secondes retrouvailles. C'est moi qui, en contactant tous les individus de la ville portant son nom de famille, ai retrouvé sa trace. Durant la dernière année, cette soirée était demeurée vivante dans mes pensées. J'avais cette étrange impression que quelque chose chez moi manquait. Ce petit quelque chose dont j'ignorais l'existence avant de le revoir.

Ma liaison avec Philipe a débuté par la suite assez rapidement. À vrai dire, dès le moment où j'ai su que durant la dernière année, il avait tenté de me joindre régulièrement chaque mois. Au début, il espérait me parler de vive voix. Mais plus le temps passait et plus il craignait que nos retrouvailles n'aient été qu'une histoire d'un soir. Il s'était également convaincu que j'avais certainement rencontré quelqu'un et craignait le ridicule et le dérangement.

La période plus intense de nos fréquentations s'est déroulée cette même année. À l'époque, j'étais certainement au moment de ma vie où mon travail occupait une importance primordiale. Ce qui veut dire que je croyais dur comme fer à tout ce qui est écrit dans les livres thérapeutiques sur les relations et les dynamiques de couple. Lui, de son côté, était toujours avec la même copine et préparait de nombreux projets de vie... ce n'était pas encourageant pour moi ; tous les livres le stipulaient.

Plus les semaines avançaient et plus j'attendais qu'il me choisisse une fois pour toutes. Je ne lui ai jamais dit que je l'aimais. Probablement parce que j'avais une peur bleue de me perdre moi-même. Je n'ai jamais voulu lui promettre d'être là pour lui, au moment où il quitterait sa copine. J'espérais qu'il fasse le choix pour lui-même et ainsi me dégager de toute responsabilité. D'ailleurs, il s'agissait des conseils de mon entourage proche et de ces foutus livres thérapeutiques. Comment aurais-je pu savoir que je n'étais pas le « rebond » de son autre relation, sinon ?

La relation s'est rapidement envenimée. Mon espoir s'est transformé en colère et au lieu de lui dire « je t'aime », je l'ai traité de lâche et de mou. Je me suis montrée odieuse et arrogante. J'avais peur de le perdre et c'est exactement ce qui s'est produit, au moment où je lui ai fait savoir que je n'avais plus confiance en lui et que jamais je ne porterais ses enfants, craignant qu'il me fasse subir le même sort qu'il réservait actuellement à sa copine.

Le mal était fait. Ces paroles en provenance de ma tête, et non de mon cœur, sont devenues indélébiles. Au lieu de provoquer son entrée dans ma vie, elles ont provoqué une barrière qui existe toujours. Pourtant, je crois fermement qu'il est la partie manquante dans ma vie. J'aime tout de lui et lorsque je suis à ses côtés, je me sens femme, je me sens heureuse. Tous les autres hommes ne sont qu'une pâle copie de Philipe.

Avec les années, les rencontres se sont espacées. Tantôt, elles étaient platoniques et d'autres fois, elles étaient de ces soirées et de ces nuits de rêve. Mon attirance et mon attraction ne se sont jamais estompées, malgré nos rides naissantes et nos cheveux de plus en plus gris.

J'ai essayé très fort de me débarrasser de lui, en vain. J'ai joué le jeu de celle qui a une vie extrêmement remplie et complète. Parfois même, j'ai aussi évité soigneusement d'avoir de ses nouvelles et ainsi esquiver une rencontre. Ces mêmes rencontres si intenses et laissant également un vide tout aussi important. Je me suis réfugiée dans ma relation avec Ariane. Je me suis contentée de demeurer seule, durant de nombreuses années. J'ai nié totalement l'existence du besoin de vivre cet amour ou encore d'en faire le deuil. J'ai caché ce vide et je me suis protégée à travers le lien si sécurisant et paisible de ma meilleure amie.

Mais j'éprouve maintenant davantage de difficultés. J'espère encore au fond de moi qu'il rentrera à la maison et que notre vie commune pourra enfin débuter. J'imagine nos voyages, nos enfants, notre maison. J'imagine une tonne de scénarios à la fin toujours heureuse.

Je sais ce que les gens pensent de cette histoire. On me dit que c'est toxique et que je ne pourrai jamais faire une place pour quelqu'un d'autre. On me parle également de la « trompée », celle à qui je fais du mal indirectement. Longtemps, j'ai répondu que ce n'était pas de moi dont il s'agissait, mais de lui : il était celui en couple. Au fond de moi, par contre, je sais et je ne suis pas confortable avec la situation.

Ma tête est remplie de « si ». *Si* je lui avais dit « je t'aime ». *Si* je lui avais clairement exprimé mes attentes. *Si* j'avais su que jamais personne n'aurait pu prendre sa place. *Si* je m'étais montrée plus patiente et plus compréhensive face à ses peurs provoquées par notre relation. *Si* j'avais su lui dire que j'étais autant terrorisée que lui par l'emprise de cette relation. *Si* j'avais été en mesure de comprendre que de perdre le contrôle de mon être pour lui était certainement une aventure à saisir. *Si* j'avais su que malgré les dix dernières années, il n'y a que ses bras pour me protéger et me réconforter. *Si* je m'étais montrée moi-même au lieu de cette femme froide et rigide. *Si* j'avais pu lui faire sentir toute mon insécurité et ma vulnérabilité lorsqu'il était près de moi.

Il est toujours avec elle. Il m'a fait de nombreuses promesses qu'il n'a jamais tenues. Il a choisi de vivre une relation stable, sans surprise, et il travaille. Il travaille toujours et beaucoup. Il n'a aucun plan d'avoir des enfants avec elle. Selon lui, ils vivent comme un frère et une sœur. Elle est sa meilleure amie, elle est pour lui comme Ariane pour moi. Il ne se sent pas en mesure de l'abandonner, de la faire souffrir. Il m'a déjà dit qu'il était difficile de laisser tomber le minirail au profit de la montagne russe. Et encore là, je n'ai pas su lui dire que je l'aimais et que notre vie serait peut-être un mélange des deux… que c'était peut-être ça au fond, une vie bien remplie.

J'ai reçu ce courriel, annonçant sa prochaine visite. Je suis hantée, déchirée parce que j'ai peur. J'ai peur de cette intensité, de cette perte de contrôle et de ma tranquillité. J'ai peur de mon cœur, de ma tête et surtout de mon corps. J'ai peur des mots qui sortent de ma bouche, de ces images de lui et de moi, peut-être ensemble dans un proche avenir. J'ai peur du vide qu'il laisse toujours après son passage.

Alors ce week-end, j'ai fui la maison. Je me suis rendue chez Alexandra et Jérémie. Nous avons profité de la plage à Sand Bank, située près de leur domicile à Trenton. Mes amis habitent à cet endroit puisque Jérémie est militaire. J'ai eu du chagrin à l'annonce du transfert, il y a maintenant plus d'un an, mais je poursuis notre amitié. Cette amitié qui a pris naissance avec Alexandra, alors qu'elle était aussi intervenante au même endroit que moi. Nous faisions équipe dans certains de nos dossiers respectifs. Nous avons vécu ensemble un lot d'aventures et de mésaventures qui auront certainement contribué à rendre notre lien d'amitié puissant et durable.

Au moment où j'ai fait la connaissance d'Alexandra, elle n'était pas en couple avec Jérémie. Jérémie occupait plutôt la place du meilleur ami, tandis qu'Alexandra vivait avec un autre homme. Alexandra et Jérémie se connaissent depuis l'école secondaire. Lors d'une soirée bien arrosée, ils s'étaient promis de se marier ensemble, dans le cas où ils ne trouveraient pas le grand amour. Mais déjà pour Jérémie, Alexandra était son grand amour.

Jérémie devait repartir pour l'Afghanistan pour une troisième fois. Le départ était prévu quelques mois plus tard. Lors de ses précédentes missions, il attendait avec impatience ses lettres et ses courriels. Jérémie se languissait d'être avec elle, d'avoir de ses nouvelles. Il espérait sa rupture avec le conjoint du moment, mais il n'avait jamais rien dit.

Puis, un soir, alors qu'ils étaient seuls, Jérémie s'est ouvert le cœur. Il a saisi sa chance. Celle de la perdre à jamais ou au contraire, d'en faire un jour sa femme. Il lui a longuement parlé de ses plans de vie. De son désir de vivre un peu partout sur la planète. D'avoir des enfants et de l'aimer. Dans toutes ses équations, elle était toujours présente dans ses plans. Incapable de voir quelqu'un d'autre à sa place.

Alexandra n'a pas apprécié cette soirée. Elle était catégorique, il n'était pas question qu'elle le suive. Elle ne voulait pas quitter son emploi, sa famille, sa ville, ses amis. Il lui a rappelé leur vieille promesse, il lui a annoncé qu'elle avait toujours été la femme de sa vie.

Jérémie est demeuré sans nouvelles d'elle durant plus de quatre mois. Alexandra le fuyait, ne retournait pas ses appels.

Alexandra a été tourmentée durant toutes ces longues semaines, tournant la question dans tous les sens. Puis, l'évidence. Elle ne pouvait s'imaginer poursuivre sa vie sans lui, sans sa présence, sans son amitié. Alexandra a beaucoup pleuré. Elle savait au fond qu'elle était à la croisée de sa destinée.

Elle a revu Jérémie. Ils ont fait l'amour. Elle a trouvé la sensation étrange, différente de ce qu'elle avait toujours connu. Au petit matin, elle avait pris sa décision. Elle quitterait son conjoint pour reprendre le cours d'une vie qui lui semblait maintenant claire et évidente.

J'ai aidé Alex à sortir ses effets personnels de son domicile de l'époque. En un temps record, nous avons tout emballé dans des sacs à ordures, un peu nerveusement, devant son ancien conjoint dont nous redoutions la réaction.

Il y a de cela plusieurs années maintenant. Puis, nous avons assisté à leur mariage. Évidemment, j'étais encore une fois non accompagnée. Mais hormis ce détail gênant, je ne regrette pas cette journée. Particulièrement à chaque fois que je les vois ensemble. Ils sont faits pour être unis. Il n'y a aucun doute à ce sujet.

– Gaby, tu es toujours tourmentée par ton histoire avec Philipe ? me dit Jérémie.

– Oui, encore. Il m'a envoyé un courriel, je vais le revoir bientôt, dis- je.

– Qu'est-ce que tu vas faire cette fois ? Vas-tu te décider à lui dire que tu ne vois personne d'autre que lui ?

– Je ne sais pas. Je n'y arrive pas.

– Gaby, c'est un homme... il a besoin d'avoir un plan solide, tu sais. Vous les filles, vous trouvez que cette façon de fonctionner est un peu lâche... peut-être, je ne sais pas... mais c'est ainsi. Si tu ne lui dis rien, il ne fera rien. Un homme, c'est comme ça et crois-moi sur parole, j'en côtoie assez pour te dire que j'ai raison.

– Mais je lui dis quoi au juste, que je l'aime, que je veux vivre avec lui, avoir ses enfants ; et si ça ne fonctionne pas, de quoi j'aurai l'air ?

– Tu lui dis tout. Si ça ne fonctionne pas, tu fais ton deuil.

– Je lui dis à quel moment ?

— Tu passes une belle soirée avec lui, tu lui fais voir comment vous êtes bien ensemble et tu le lui dis, avant de tomber dans ses bras.

— Mais si ça ne fonctionne pas… je ne dormirai pas avec lui, je vais mourir de désir.

— Ben oui. Fais ce que tu veux, mais je pense que sinon, ça ne ferait pas crédible. Il faut ce qu'il faut, Gaby… mets ton cul sur la glace encore quelques mois ; tu en as l'habitude, depuis le temps, me dit-il.

Je suis restée silencieuse et pensive. Jérémie a poursuivi la conversation.

— Gabrielle, je sais ce qui se passe en toi. Je l'ai vécu et je sais comment ça peut être terrifiant. Les vingt semaines pendant lesquelles Alexandra m'a laissé sans nouvelles sont certainement les pires de ma vie. Il y a un moment par contre où il faut prendre le taureau par les cornes. Le temps file, Gaby… les années passent ; pour toi, pour lui et pour l'autre femme. Fais une femme de toi et passe à l'action.

— Mais si je me trompais… si ce n'était pas lui ; le quotidien et le fantasme, c'est loin d'être pareil.

— Il n'y a qu'un seul moyen de le savoir, Gabrielle. Sors de ta tête et vis ta vie ; prends le risque, tourne la page. Tu es une femme bien, Gaby, et je te souhaite sincèrement la même finalité que la mienne ; d'une façon ou d'une autre, ça en vaut la peine.

Je suis revenue à la maison. L'âme en peine et la terreur dans les veines. Dans tous les scénarios possibles, ma vie est sur le point de changer. Ce matin, au moment où je prends le téléphone pour confirmer notre rendez-vous, je me regarde dans le miroir. Pour la deuxième fois de ma vie, je soupçonne un début d'éruption de feux sauvages sur la lèvre inférieure. D'une façon ou d'une autre, il ne se passerait rien physiquement. Il ne me reste plus qu'à lui dire la vérité. Foutu corps qui complote contre moi et me met devant l'évidence. Cette soirée sera la dernière… ou la première. Quoi qu'il en soit, mes pensées sont à cet instant désagréables. J'entends « reine du suicide affectif, attirée par les culs-de-sac, amoureuse de l'impossible, pourquoi faire simple quand on peut faire compliquer ». J'espère que cette voix est seulement celle de la peur…

Mon orchidée a encore perdu une de ses fleurs aujourd'hui. Et merde ! On dirait que « rien n'annonce le printemps dans cette histoire ».

# Gabrielle et Philipe

Merde ! Foutus cheveux… foutu maquillage… mais pourquoi rien ne fonctionne ? Il est dix-huit heures et il vient de me laisser un message pour devancer son arrivée. Je ne cesse de modifier mes vêtements. Une jupe serait une idée géniale, je sais qu'il aime reluquer mes cuisses. Mauvaise idée, j'opte pour un pantalon, histoire de bien capter son attention sur le sujet qui nous concerne. Dans la seconde suivante, la radio capte mon oreille. J'entends la chanson *Seduce me,* interprétée par Céline Dion. Mon cœur bat de plus belle. Je ne suis pas particulièrement à la hauteur des moments où je dois exprimer mes émotions. Spécialement lorsqu'il est question de l'amour et de la tendresse. Par contre, quand il s'agit de l'émotion de la colère… alors là, je suis une championne ; une tigresse déchaînée.

Je ferme la radio et j'attends. Je n'aime pas le silence. Je n'entends que mieux ma nervosité et mes appréhensions. Une petite voix douce dans ma tête me dit que tout ira bien. Que c'est la bonne chose à faire. Une autre répond qu'au pire, je serai fixée et libre. Ma liberté, mais est-ce que je la veux... je ne suis pas certaine de ce dont je pourrais bien en faire.

On sonne à la porte. C'est lui, je le vois à travers les rideaux. Le salaud, il a mis son gilet noir, celui qui met en valeur ses muscles et ses bras. Bordel de merde, l'appel « du bas du ventre » entre en jeu. Maudite libido quand elle n'arrive pas au bon moment.

– Salut mignonne, tu es prête ? me dit-il.

– Oui, je t'attendais.

Non, non, non, non… Je suis loin d'être prête bordel de merde, me dis-je en moi-même.

– Où veux-tu aller ce soir, chérie ?

Je pense à ma chambre à coucher ou au nouvel hôtel chic près de Montréal. Je pense à mes mains sur son abdomen, qui glissent doucement dans ses sous-vêtements. Bien sûr, je réalise que la question n'engendre pas aujourd'hui ce genre de réponse.

– Que dirais-tu de notre restaurant asiatique ?

– O.K., c'est toi qui décide.

Il me prend la main et ferme la porte derrière moi.

Je le suis pas à pas, comme son ombre. J'aime sentir son odeur, sentir le sentiment de protection qu'il provoque lorsque je suis à ses côtés.

Il ouvre la portière de la voiture. Il attend que je sois bien assise et que je boucle ma ceinture avant de fermer la portière. Je le vois se déplacer comme au ralenti alors qu'il se dirige vers son côté de voiture. Les oiseaux chantent, la température est idéale et le soleil se couche, laissant une belle couleur rouge-orangé dans le ciel d'automne. Le moment est magique… du moins dans ma tête.

Il ouvre son toit ouvrant, laissant pénétrer les derniers rayons de soleil. Il me regarde et me dit qu'il n'avait jamais réalisé à quel point mes yeux sont magnifiquement verts. Je lui dis à la blague que c'est la couleur que j'ai choisie ce matin pour aller avec mes vêtements.

Le trajet se fait plutôt en silence, mais rien de désagréable. Parfois, il glisse sa main sur ma cuisse et me regarde en souriant. Ce sourire qui me fait craquer depuis des années. À l'intérieur, je me sens faillir. Tout le courage qui m'habitait s'estompe au fil des kilomètres sur l'autoroute. Il fredonne l'air sur lequel nous avons eu notre premier baiser. Au secours, au secours, au secours…

L'hôtesse nous propose notre table habituelle. Cette même table où j'ai fait la rencontre de plusieurs candidats mâles durant la dernière année. Mais cette fois-ci, je suis avec le bon, me dis-je… ou du moins je l'espère.

— Alors, Gaby, tu voulais me parler de quelque chose en particulier ?

— Oui, mais j'ai besoin d'un verre de vin, avant de commencer.

Philipe lève le bras et commande à distance deux coupes de vin maison. Il tend sa main vers moi, me caresse timidement et me regarde tendrement.

— Mais qu'est-ce qui se passe, tu m'inquiètes un peu. Tu es nerveuse, tu fuis mon regard, tu restes silencieuse… alors qu'il est difficile de t'arrêter habituellement ; es-tu gravement malade, ma chérie ?

— Non, pas au sens où tu l'entends, mais on pourrait aussi dire que je le suis peut-être.

La serveuse dépose les verres et Philipe lui signifie que nous passerons notre commande dans quelques instants.

— Qu'est-ce qui se passe Gaby ?

— Je t'aime Philipe.

— Je t'aime aussi, mais que se passe-t-il vraiment ?

— C'est ça qui se passe. Je t'aime, je t'ai toujours aimé et je t'aimerai toujours. Je suis prisonnière de cet amour et je suis fatiguée, tellement fatiguée.

Philipe retire sa main de sur la mienne et s'adosse très loin sur sa chaise. Il me regarde fixement, cherchant clairement à comprendre ce qu'il vient d'entendre. À nouveau, le silence s'installe entre nous.

— Gaby, je ne suis pas certain de comprendre…

— Lorsque je m'endors le soir, je pense à toi. Quand je m'imagine avoir un enfant, je te vois porter notre bébé dans tes bras. Lorsque je voyage sans toi, je te regrette. Lorsque je vois des amoureux, je sens le vide de ne pas être à tes côtés.

— Gaby, tu connais ma situation… je ne comprends pas. C'est toi qui n'a jamais voulu me dire que tu serais là pour moi, si je mettais fin à mon couple, il y a de cela près de sept ans, maintenant. Je me souviens très bien de cette soirée. Tu m'as affirmé que tu n'aurais jamais confiance en ma fidélité, que je serais un père absent ; tu m'as aussi dit d'aller me chercher des couilles chez Rona.

La célèbre phrase qui va probablement le hanter jusque sur son lit de mort, celle qui exprimait mon insatisfaction devant son immobilisme.

— Je sais Philipe. Je le regrette… j'avais peur, je ne supportais plus ton indécision, je ne supportais plus de te voir entrer à l'hôpital en crise d'angoisse après nos beaux moments, alors que toi tu te persuadais que ton problème était cardiaque. Je pensais à l'époque que je te rendrais le meilleur service par amour… que tu me reviendrais par la suite, disponible, juste pour moi.

— J'ai tellement souvent pensé à cette soirée, Gabrielle. Je n'arrivais pas à être en colère après toi. J'avais cette voix qui me disait que tu le faisais pour me libérer de mon impasse, mais en même temps, tu as tout cassé. Dis-moi la vérité maintenant. Tu l'as fait pour ces raisons ?

— Oui. Je savais que les obstacles étaient immenses entre toi et moi. Je te voyais dépérir et j'ai préféré te faire croire en un amour contrôlé chez moi.

— Bordel de merde, Gabrielle. Tu te rends compte ?

— Et toi, tu te rends compte que je n'ai jamais voulu te dire en parole que je serais là pour toi, mais qu'en action, je suis encore avec toi… et plus fidèle qu'une « nonne » !

La serveuse interrompt notre conversation afin de prendre notre commande. Philipe choisit le menu pour nous deux en vitesse, histoire qu'elle quitte la place au plus vite.

— Gabrielle, tu sais que je n'ai jamais aimé ma conjointe d'un amour passionné. Mais avec le temps, je me suis persuadé que je vivais la vie rêvée pour moi. Elle m'a laissé entreprendre chacun de mes projets. Elle m'a laissé la liberté de travailler comme un forcené, de développer ma carrière comme je le souhaitais, de prendre mes vacances quand bon me semble. Nous avons des amis en commun, une maison, un voisinage, une routine. J'ai appris à la respecter et à développer pour elle une grande affection.

– Tu aurais des enfants avec elle ? Tu passerais tes vacances avec elle ? Tu vivrais le reste de ta vie avec elle ?

Lourd silence. La serveuse en profite pour déposer les plats. Nous lui sourions tous les deux faiblement.

– Gabrielle. Je ne suis pas certain de vouloir des enfants. Je me suis dit dernièrement que j'étais probablement trop vieux pour ces histoires. Pour le reste de ma vie, si je suis avec elle, je voguerai sur des fleuves tranquilles, comme je crois les aimer. Avec toi, c'est la passion, l'inquiétude de te perdre, le vide entre nos rencontres, une dépendance… tu comprends ?

– Tu aurais des enfants avec moi ?

– Seulement si tu me promets qu'ils auront tes magnifiques yeux verts.

Philipe dépose sa fourchette et reprend ma main dans la sienne. Il n'en faut pas davantage pour que j'éclate en sanglots.

– Je suis fatiguée de tes doubles messages, Philipe. Tu ne fermes jamais la porte et moi j'espère.

– Je sais. Je ne le fais pas pour te blesser, mais parce que j'ai peur de te perdre. Tu veux qu'on quitte le restaurant, Gabrielle ?

Je lui fais oui de la tête. Il se lève et paye l'addition. Il revient à la table et pose mon manteau sur mes épaules et arrange une mèche de cheveux qui cache mon visage.

– Tu veux que je te raccompagne à la maison ? Tu veux que j'entre ?

Mes larmes coulent à nouveau. Mon corps dit oui, ma tête dit non, mon cœur ne sait plus.

Ce soir-là, nous avons fait l'amour. Moi avec une agressivité et un égoïsme jamais égalés. Lui, égal à lui-même : méthodique, athlétique et attentionné. Ce soir-là, avant qu'il ne soit sur le point de partir, je compte trois orgasmes puissamment ressentis… pour moi. Pour lui, aucune idée.

Je le regarde s'habiller, je le vois se pencher à nouveau vers moi pour m'embrasser. Il me sert dans ses bras, il me borde doucement. Au moment où il est sur le point de quitter, je m'entends lui dire :

– Philipe, je ne te mets pas un délai de réflexion quant à ta décision. Mais je veux être la femme dans ta vie, la seule et unique. Je veux que tu rentres à la maison et que la vie suive le cours de ce qu'elle aurait dû être depuis sept ans. Je sais que la situation me convenait ces dernières années, mais plus maintenant. Si ce n'est pas le fruit de ta décision, je veux que tu me rendes ma liberté. Je souhaite que tu m'aimes autant que je t'ai aimé, au moment où je t'ai poussé à partir par le passé. Je ne suis peut-être pas sur le point d'être hospitalisée comme toi à l'époque, mais je suis au plus mal à l'intérieur. Je suis fatiguée Philipe, tellement fatiguée.

Il hoche la tête en soupirant. Il a détourné rapidement le regard, mais je l'ai vue, sa petite larme qui brillait dans le coin inférieur de son œil gauche.

Moi qui suis insomniaque de nature, j'ai fermé les yeux et j'ai dormi durant douze heures consécutives.

Durant les semaines suivantes, j'ai reçu quelques messages textes de sa part. Parfois pour me dire qu'il prévoyait être dans le coin prochainement. D'autres fois, juste pour me souhaiter une bonne journée. Durant ces semaines, je me suis convaincue que l'issue serait favorable pour moi. Que mes derniers jours de célibat officiel étaient comptés. Que l'équilibre reviendrait entre ce que je souhaite profondément et ce que je vis au quotidien.

J'avais une confiance absolue envers la vie, envers les événements du quotidien. Je me suis mise à regarder à nouveau les films romantiques… Et à les trouver réalistes et mignons. Mes joies étaient plus marquées et mes peines, quasi absentes de ma réalité. J'aurais pu escalader des montagnes, poussée par un air de *coming out* amoureux. J'étais fière de moi. Je l'attendais.

Je fuyais les commentaires du type « les hommes sont tous pareils, il ne la quittera pas ». Je m'abreuvais des discours de mes amies qui m'encourageaient dans mon sentiment d'espoir.

J'en étais même rendue à me dire que ma vie avait du sens, que tous les désagréments passés avaient eu leur raison d'être. Il m'aimait, je n'en avais aucun doute. Ne restait que la petite phrase « fatigante »… Celle qui stipule qu'il faut de la bravoure pour prendre ce genre de décision. Mais je prenais un verre de vin là-dessus et me disait que mon homme, il en a du courage… qu'ils allaient voir que j'étais l'exception qui confirme la règle.

Ouf que je suis sur une « balloune » ! Espérons que l'aiguille du destin se tiendra loin de moi…

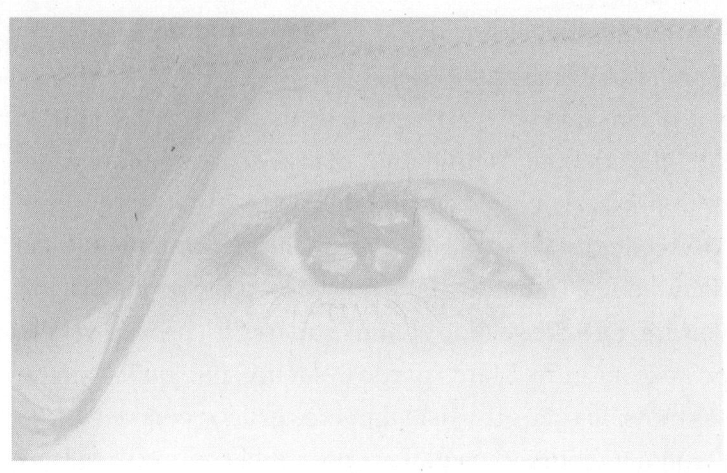

# Le célèbre jeudi

Je suis en retard. Cette réunion n'en finit plus. Je n'écoute pas, le sujet ne m'intéresse pas. J'ai plutôt dans la tête mon nouveau kit de « brassière/bobettes » pour ce soir. Philipe doit venir souper à la maison. Mes collègues plus intimes savent que ce soir est le grand soir. Ils ne s'offusquent pas de mon « absence » lors de la réunion. Je regarde l'horloge sans arrêt. Les minutes semblent se transformer en heures. Il est dix-huit heures et actuellement, Philipe est déjà à la maison ou chez Ariane. Ce fut la surprise lorsqu'il me dit de prendre mon temps et qu'il en profiterait pour aller discuter avec ma meilleure amie et ma filleule. Comme je suis une fille, je prends cette offre comme étant positivement significative dans la résolution de notre énigme amoureuse.

Je sens que nous arrivons à la fin de l'ordre du jour. Je suis déjà debout, j'enfile mon manteau, j'attrape mon sac et je presse la chef d'équipe de mettre fin à la réunion. Mon collègue Marco s'amuse de mon comportement. Il me demande de l'attendre, il va me raccompagner jusqu'à ma voiture. La salle se vide et nous suivons le corridor vers la porte extérieure. Marco garde le silence, puisqu'il cherche ses mots. Il aime être juste dans ses propos et il sait que je l'écoute toujours, puisqu'il est pour moi comme un grand frère protecteur.

— Gabrielle, me dit-il, je te souhaite de passer la soirée qui te libérera de ton état actuel. Que ce soit le début d'un grand amour ou la fin, n'oublie pas que tu es une personne de très grande qualité et que tu mérites un homme à la hauteur de ce que tu peux offrir.

Je le regarde, perplexe. Je ne sais trop quoi lui répondre, comme à chaque fois qu'il me sort l'une de ses phrases aussi profondes que l'océan.

— Et bien merci, Marco. Si ça peut te rassurer, je vais accepter entièrement tout ce qui pourrait arriver et avec une dose de dignité… du moins, je l'espère.

— Alors à demain chère collègue, tu n'oublies pas que nous dînons ensemble… peu importe ce qu'il adviendra de cette soirée.

Sur le chemin du retour, je suis anxieuse. Suis-je en mesure de vivre le grand amour ? Si au contraire, il me rejette… suis-je en mesure de survivre ?

Je chasse ces idées de ma tête et monte le volume de la radio. Ce soir, c'est mon soir. Je le sens, je le veux, je le mérite.

# Tout au fond du vide

Lorsque j'ai compris que pour lui, il n'existe plus d'amour sentimental, qu'il existe encore l'amour de la tête, celle du corps, mais plus rien au niveau du cœur, que le temps avait laissé place aux habitudes, aux souvenirs et autres détails, le choc fut puissant, voire violent. À cet instant précis, ma tête s'est vidée et ma chaleur et ma lumière intérieure se sont fait la malle. Mon sang s'est figé et le vide a prit place au centre de mon thorax, me faisant prendre conscience que Philipe occupait un espace énorme dans mon corps ; un espace plus grand que je ne l'imaginais. Je me suis demandé si j'avais été percutée par un puissant missile, mais je ne voyais rien... pas de sang ni de trou. Et ce vide, justement, me donne l'impression que mon cœur a décidé de se cacher et qu'il n'est pas disponible en ce moment. Comme s'il s'était réfugié au même endroit que mon cerveau, quelque part dans les limbes ou les nuages. C'est probablement mieux ainsi…

J'attends la venue de mon souffle court, de la douleur. Mais rien ne vient. Pas encore. Seules mes mains tremblent, un peu pour me rappeler que je suis toujours sur cette terre, dans un univers dévasté. Je suis maintenant la survivante de ma propre vie ; celle qui vient de prendre une tout autre saveur en une fraction de seconde.

Mon anxiété des dernières années, ma colère, ma frustration, mes déceptions ressenties ne sont pas au rendez-vous aujourd'hui. Mon calme soudain me semble alarmant ou plutôt anormal. Il y a bien quelques petites larmes, mais elles sont isolées et je ne sais pas à quoi elles peuvent bien servir. Elles ne soulagent pas, ne changent rien à la situation et ne me sortent pas de ma torpeur. Comme si elles ne faisaient que dire « oh là ! Toute une histoire poche, ma vieille ». Mais je les regarde sur le bout de mon index comme des étrangères en me disant « c'est de moi que tu parles ? », trop sous le choc pour comprendre complètement qu'en effet, c'est de moi qu'il s'agit.

J'espère ouvrir les yeux en souhaitant la fin du mauvais rêve. Faire un pacte avec le ciel, espérer qu'en modifiant certains de mes comportements, l'histoire s'éclaircisse et la fin se transforme. Je revoie tous ces espoirs et les signes qui m'indiquaient que la finalité en soit une heureuse. Mais c'est inutile, je le sais et je ne peux marchander plus longuement. De toute façon, mon regard n'enregistre plus les images et les sons autour de moi ont disparu dans le néant… avec mon cerveau et mon cœur.

Les souvenirs de certains événements passés se précipitent. Ces souvenirs sont délinquants et insaisissables, ils n'arrivent pas à prendre un rang et à se présenter un à la fois, et ce, de façon limpide. Je n'entrevoie que des mots, des lieux, des réflexions et rien ne tient la route. Juste une impression d'avoir vécu durant des années un amour que je ne suis plus certaine d'avoir partagé avec lui. Un peu comme dans un rêve très persuasif, mais malgré tout, la réalité vient de s'introduire avec fracas dans mon conte de fées.

Je retourne dans mon état de léthargie. Quel jour sommes-nous ? Ah oui, le mauvais. Juste celui avant de reprendre le travail du lendemain et de relever des défis importants. Juste celui suivant la fin d'une fréquentation, sur laquelle j'avais secrètement souhaité qu'il s'agisse de la plus importante de ma vie. Nous sommes ce jour, celui où il y a un vide dans mon thorax, des tremblements, mes joues un peu humides, la froideur du temps et la cloche qui sonne. Celle annonçant le début d'un sérieux examen des dernières années. Un examen minutieux, dans le seul but de ne pas jeter par-dessus bord tout ce qui a été beau et surtout, ce qui est précieux chez moi : ma capacité d'aimer tout et rien. Ce jour où l'autre moitié de mon lit redevient vacant à temps complet.

Je me lève aussitôt de ce même lit où a lieu notre dernière rencontre. Quel mauvais choix d'endroit pour une conclusion de cet ordre, que je me dis. Moi qui suis de nature insomniaque, en voilà un bel effort pour améliorer mes nuits de sommeil à venir !

J'ai fermé la porte derrière lui pendant que j'entrais dans un nouvel univers, et ce, sans aucun déplacement de mon corps. L'univers où je commence mon errance en me demandant toujours pourquoi je ne ressens rien, que le vide. Pourquoi suis-je si fatiguée ? Pourquoi je n'ai rien vu... Et automatiquement, je m'entends répondre « tu l'avais senti ».

N'était-ce pas cela, mon angoisse ressentie après une confidence ou une discussion qui me tenait à cœur ? L'impression qu'il écoutait et me renvoyait aussi rapidement à l'ABC du pourquoi de mon échec. Ou pire encore, à la diminution du sens que devrait prendre l'événement dans ma vie, selon l'avis de son oreille qui se voulait tout, sauf attentive.

J'en étais même à me convaincre qu'il existait plusieurs raisons valables de ne pas répondre à mes besoins, de ne pas être importante ou cultivée par lui. De me sentir comme un meuble, un animal ou quelqu'un qui est là... parce qu'il est là. Préférablement et immanquablement au moment où lui le décidait ou en avait envie. Ma meilleure justification des dernières années, afin de continuer mon chemin de croix sans broncher : Gaby, tu ne dois pas attendre des autres qu'ils s'occupent de toi ; on s'occupe de sa personne, seule. De cette façon, tu ne seras jamais déçue et tes exigences ne seront pas trop élevées.

Même si, au fond, quelque chose en moi me disait qu'il est normal de demander de l'aide, de l'amour, de l'attention, de la bienveillance. Comment n'avais-je pas observé qu'il s'agissait de cela ? Que l'amour du cœur chez lui n'existait plus et que je me contentais de miettes. Des miettes gonflées avec mon imagination, mon espoir, pour emplir virtuellement ce vide.

Je n'ai rien vu, ou plutôt j'ai ignoré. Puisque mon amour pour lui existe toujours et encore. Du moins, je le crois.

J'ai encore, en ce moment, cette foutu impression de paralysie, la sensation d'avoir été amputée à froid. Le choc est si violent que ma douleur n'apparaît toujours pas. Je suis ici et maintenant et je me demande ce que je dois faire à présent.

J'ai cru naïvement que je ferais exception à la règle. Que mon histoire de liaison en deviendrait une de relation. Malgré les faits, malgré ma raison, malgré l'opinion de tous ceux que j'ai parfois détestés, alors qu'ils ne désiraient que me protéger. Puis, vient soudainement le contrecoup de ma naïveté, mon premier sentiment à se pointer le bout du nez. Il est suivi de très près par celui de la trahison et est accompagné par celui d'avoir été utilisée.

Il ne reviendra pas. Et ce temps, qui s'étire, semble servir à me rappeler mon trouble de m'être offerte pour un prix concurrentiel à ceux des magasins à un dollar. Je voudrais être en colère, ce serait plus facile. Je réponds habituellement à cet état par ce merveilleux mécanisme de protection. Mais là, je ne le peux pas. J'essaie juste de reprendre le peu d'amour propre qu'il me reste.

C'est enfin à ce moment que je l'ai ressenti, mon cœur qui vient de recommencer à battre et il ne va pas bien, me semble-t-il. Un peu comme s'il était cabossé et sans rythme. Jusqu'à tout récemment, j'ai cru que mon organe battait la mesure avec celui de Philipe. Peut-être qu'en ce moment, mon cœur fait un essai pour jouer maintenant ma propre musique, juste pour me remonter un peu le moral… mais décidemment, je ne suis pas une virtuose. Les narines me picotent également. Je pince les lèvres par réflexes mais les larmes trouvent le chemin de la sortie. Cette fois-ci, elles sont suivies par l'élan de mon cœur et elles me signalent que j'ai attrapé une sale tristesse, quelque part entre vingt heures quarante-cinq et vingt et une heures, en ce jour qui n'en est pas un bon, pour le moment.

Je pourrais me dire que rien n'est différent. Je suis la même, j'habite le même endroit et je pourrais faire semblant de ne jamais avoir eu cette conversation avec lui. Je pourrais espérer que l'amour, ça arrive pendant le sommeil ou au coin d'une rue. Qu'il regrette ses paroles échappées. Que l'arrangement des dernières années était mieux que rien, même si ce n'était justement rien. Que ce n'était qu'un amour utilitaire ou une attirance physique.

Mais je sais que c'est impossible. Ne serait-ce que parce que la souffrance, je la vie déjà depuis plus longtemps que je ne voudrais le reconnaître. Alors, je tente de me consoler en me demandant si je suis à la moitié du chemin vers la rédemption de ce moment pénible. « Mon Dieu », que je voudrais négocier, « faites que j'en sois au moins au tiers… »

Prendre un bain. Peut-être est-ce ce que je devrais faire. Avoir un peu de chaleur, nettoyer la souillure que j'imagine maintenant sur ma peau. Lui envoyer des pensées positives pour faire taire la haine qui m'empoisonnerait en pensant que la douleur serait sienne.

Ne pas trop penser, ne pas recoller ensemble tous les souvenirs de rejets ou de sentiments d'abandon. Ils sont trop nombreux et leurs échos rempliraient ma tête des semaines durant. Ne pas décider de ne plus jamais faire confiance ; il s'agit d'un pari perdant à coup sûr. Je pourrais doublement perdre l'opportunité de recevoir ce que j'ai tant à offrir. Surtout, refuser de participer à la chaîne humaine ; celle qui rend une personne à la fois amère et en douleur à cause de la souffrance de l'autre. Remercier pour les bons moments, pour que les mauvais ne soient que ceux qui parlent de cette relation. Ne pas espérer que la douleur s'apaise de l'extérieur, même si s'étourdir aide parfois. Me répéter ces paroles sans cesse, puisque pour le moment, je ne me crois pas. Je ne fais que répéter ce que j'ai lu dans tous ces foutus livres sur la pensée positive. Je ne cherche, au fond, qu'à dialoguer avec moi-même comme je l'aurais fait pour une amie, histoire de mettre un terme à ce silence si lourd.

Dormir, pour me remettre entre les mains de mes songes. Partir loin avec eux et plus haut que ce qui me retient en ce moment dans ma douleur. Compter les heures et me féliciter de vivre dans cet état depuis plus de cinq heures. Me féliciter de toujours respirer, de toujours pouvoir marcher et d'avaler de l'eau, car rien de plus ne traverse ma gorge. Être fière de ne pas ressentir le besoin de vider l'alcool en ma possession et qui s'accumule depuis des années. M'imaginer la tête haute et les épaules droites. Me rappeler sans cesse que je suis forte, qu'il est possible un jour d'être aimée. Que je ne suis pas seule, que d'autres aussi possèdent ce talent de l'amour. Me consoler… un peu plus tard. Laisser les heures ralentir et prendre mon temps pour guérir cette immense plaie. Accepter que j'aie perdu la partie. Que le côté de ma personnalité qui aurait voulu le sauver, le changer… s'est noyé par ma propre faute. En ayant manqué d'humilité à ce niveau, j'ai fini par oublier. Oublier que depuis longtemps, j'avais retiré ma propre veste de sécurité. En espérant qu'il serait là à son tour… pour me sauver de mon propre vide dans ces eaux tumultueuses de la vie.

# Le vendredi

Tel le Christ, j'ai aussi mon vendredi « saint » ; je me sens crucifiée. Bon dieu, je souhaite avoir droit également à la résurrection du dimanche… Mais j'en doute, et ce, malgré un carême de sept ans. J'entre au bureau comme un zombie. Plusieurs de mes collègues sont déjà confortablement installés sur les chaises de mon bureau, en compagnie de mon « colocataire », Marco. Je redoute les premiers mots qui sortiront de ma bouche. Tous me regardent avec le sourire, mais personne ne pose la première question. Marco s'approche et dépose sa main sur mon bras. Je l'entends me demander tout doucement « Et puis ? », et je réponds que là, je suis gelée par en dedans et que je ne veux parler de rien.

Mes collègues se lèvent et quittent mon bureau respectueusement. Marco me regarde affectueusement. Je le sais, je sens son regard sur moi. Je lève les yeux vers lui.

– J'ai une journée de merde aujourd'hui, si j'ouvre la bouche et que je te parle… je ne pourrai pas remplir mes obligations. Je ne souffre pas en ce moment, je ne ressens rien.

J'ouvre ma filière et attrape mon prochain dossier de suivi. Au moment où je quitte pour la rencontre prévue, il me regarde longuement et me dit :

– Je ne trouve rien à te dire… mais je suis avec toi.

La journée passe rapidement, je suis comme un robot ; je fonctionne aux réflexes et je me retire dès que je le peux. Merci à cette adrénaline si précieuse.

À ce moment, je n'ai pas vraiment discuté de l'ensemble des événements de la veille avec Ariane, malgré le fait que je suis descendue dormir près d'elle durant cette même nuit, à la fois débutée avec Philipe et terminée avec elle. Je ne lui ai pas dit que le sol s'était ouvert sous mes pieds, que mes prières et mes souhaits avaient éclaté dans ma tête, laissant derrière eux un bruit puissant et douloureux. Ou peut-être que c'était en fait mes hurlements et mes larmes que j'entendais au fond de moi, depuis des heures. Les images s'emmêlaient, les souvenirs, les paroles. Je nageais dans la plus profonde des confusions. Entre le cauchemar et la réalité. Je n'avais pas eu à raconter à Ariane ce qui s'était passé avec Philipe. Elle le savait et je le savais aussi.

Ce n'est qu'au moment de prendre ma voiture pour le chemin du retour que mes larmes se sont emparées de mon visage. Des larmes inépuisables (effectivement, notre corps est constitué de quatre-vingt-dix pourcent d'eau), un serrement de cœur trop serré, des poumons en manque d'air, un espoir et une confiance envolés. Mon Dieu que le chagrin d'amour fait mal. Mon Dieu que je comprends pourquoi j'ai voulu éviter cet état durant des années. Y a-t-il une piscine à remplir quelque part ?

Pourtant, le soleil brille toujours et le trafic est toujours aussi important. Et alors je crie dans ma voiture.

— Putain de merde ! La vie… oui toi, LA VIE ; tu m'as encore abandonnée… Mais qu'est-ce que tu veux de moi à la fin… ma mort ?

Que la liberté est souffrante.

BANG !

Une voiture en sens inverse fait une fausse manœuvre et entre en collision avec la mienne. Je suis sous le choc, je suis totalement désorientée. Je sors de la voiture, toujours en larmes. À ma vue, la conductrice fautive se sent immédiatement sur la défensive et me crie de me calmer, qu'elle ne m'avait pas vue ; il ne m'en faut pas plus pour pleurer de plus belle. Ce qui a pour effet d'agresser davantage la dame qui, elle, crie à nouveau.

— Ben là, je ne peux pas croire que vous êtes si blessée que ça…

Les passants et les témoins de l'accident sont immobiles et stoïques. Le malaise est palpable.

Je reprends mon souffle.

— Je suis terriblement blessée, mais ce n'est pas votre faute… rien à avoir avec cet accident, ne vous inquiétez pas.

Elle m'offre un mouchoir et demeure silencieuse. Nous faisons rapidement le tour des voitures et aucun dommage ne semble apparent. Tout comme sur moi d'ailleurs, en apparence.

Je rentre à la maison et me couche sur mon lit. Je me relève aussitôt. Son odeur est toujours présente dans mes draps. Je me couche sur le sol. Cet endroit qui recevra à de nombreuses reprises toutes les larmes de mon corps qui m'apparaissent intarissables.

Dès lors, je commence une longue série des cycles du deuil. Au début imprévisible, puis avec les semaines… prévisibles. Une journée de tristesse, une journée de colère, une journée insensible à tous et à tout… et on recommence. Je me suis réfugiée chez Alexandra durant le premier week-end, ne sentant aucune compassion de la part d'Ariane. D'ailleurs, elle évite le sujet et me dit de prendre sur moi. Je ne la reconnais pas. Parfois, j'ai aussi l'impression de transposer ma tristesse et ma colère sur elle, il m'arrive de la détester pour un moment. Mon groupe de poules m'a obligée à sortir de la maison à quelques reprises, j'ai perdu l'appétit ainsi que mes derniers kilos en trop qui me fatiguaient depuis un certain temps. Victor m'a tenu compagnie par téléphone, je me suis également cachée chez lui… loin de chez moi.

Quatorze jours après ce fameux jeudi, j'ai eu la visite de mes menstruations. Moi qui avais cessé de prendre la pilule depuis trois mois, je ne les avais pas revues depuis. J'ai eu cette forte impression que la vie ironisait à nouveau à mes dépens. Moi qui voulais des enfants et qui n'avais jamais utilisé de condoms avec Philipe, depuis les dernières années. Je me retrouvais devant le constat que si ce fameux soir, nous avions fait comme à l'accoutumée, j'aurais pu être enceinte de lui. Cette dernière soirée aurait pu me laisser un dernier cadeau tant souhaité. Mais j'en avais décidé autrement. Alors, dès ce jour, je pleurai non seulement Philipe, mais aussi notre enfant. Faut croire que lorsque nous nous sentons « dramatique », tout le devient. Et ce lit toujours à moitié vide.

— Gabrielle, me dit Ariane. Veux-tu bien me dire ce qui te passe par la tête ? Qu'est-ce que t'aurais fait d'un enfant de lui, sans lui ?

— Rien… je suppose. Mais avoue que la vie est une vache ! Elle aurait pu faire arrimer les événements de façon moins contrariante.

— Gaby… tomber enceinte seule… Moi j'ai fait ce genre de choix, pas toi ! C'est beau la peine d'amour, mais là, tu mélanges bien des choses.

— Mais justement, peut-être que j'aurais dû jouer moins honnêtement, j'aurais peut-être pu profiter de la situation… au moins, je ne me serais pas retrouvée devant rien !

— Gabrielle, tu n'es pas tombée enceinte parce que tu ne devais pas tomber enceinte. Tu n'as pas pensé que la vie, justement… te signifie clairement que ce n'est pas lui qui t'est destiné ? Que tu n'étais pas due pour tomber enceinte de lui. Moi, au contraire, je la trouve sympa la vie avec toi. Tu voulais des réponses claires, tu les as.

— Mais tu ne me comprends pas… Tu n'as aucune empathie pour moi, comme si tu étais heureuse de ce qui m'arrivait.

— Je t'aime de tout mon cœur. Je t'aime plus que tu ne peux l'imaginer. Tu es la marraine de ma fille, mon unique enfant. Peut-être que je ne vois pas l'entièreté de ta peine d'amour, mais je comprends en partie, je connais cette douleur. Je ne suis peut-être pas à la hauteur pour te consoler, mais je suis triste pour toi. Mais d'un autre côté… j'attends plus pour toi, que tout ce que tu as pu espérer de lui. Il est là quelque part, ton homme… Et pour la première fois depuis très longtemps, tu es enfin disponible.

— Ariane, penses-tu qu'au fond, je pourrais être lesbienne sans le savoir ?

— Quoi ? Mais où vas-tu chercher ce genre de réflexion ?

— Je ne sais pas trop, mais les hommes… on repassera pour le moment. Peut-être qu'au fond, je n'ai juste pas compris ce que la vie avait à m'offrir, tu sais… La seule relation stable et de longue durée de toute mon existence, c'est toi. En plus, ma famille élargie semble pencher pour cette option.

— Ta famille élargie… celle qui ne connaît nullement tes goûts, tes intérêts. Celle qui ne connaît de toi que ce que tu veux bien dire ou montrer. Celle qui te voit quelques fois par année, pour les échanges de politesse traditionnels. Voyons Gabrielle, tu sais très bien que les gens ont besoin d'expliquer ce qui paraît inexplicable. Que tu choisisses d'être seule, du moins en apparence… c'est toujours étrange au fond. Alors cette explication est courte, simple et rassurante.

— Mais tu ne le sais pas, si moi je ne le sais pas…

— Bon, on recommence avec tes idées de fous ; c'est aussi intelligent que la fois où tu étais certaine qu'il fallait que tu risques ta vie en parachute pour devenir une intervenante plus brave et solide. Ou encore, la fois où il fallait absolument que tu travailles uniquement en situation d'évaluation de mortalité infantile et d'abus sexuel pour vaincre tes préjugés contre les pédophiles et les tueurs d'enfants.

— Je ne vois aucun lien..., lui dis-je d'une façon offusquée.

— Mais moi je le vois le lien... madame *je ne tolère pas la souffrance et je dois absolument tout faire pour l'évacuer de mon système.*

— Mais tu ne le sais pas plus que moi... je suis peut-être lesbienne !

— As-tu déjà eu envie d'une autre femme ?

— Dans mes fantasmes, est-ce que ça compte ?

— Je te parle de la réalité, Gabrielle.

— Non, mais peut-être que je ne m'en suis pas rendu compte...

— Gabrielle, à mon souvenir, tu as eu quelques opportunités et tu n'as jamais rien fait.

— C'est vrai. Mais peut-être qu'avec de l'alcool et de la drogue, j'aurais pu être une super maîtresse à femmes ; on n'en sait rien !

— Merde Gabrielle, c'est ta nouvelle fuite : l'idée que peut-être inconsciemment tu pourrais être une lesbienne attirée par les hommes, mais une lesbienne tout de même...

— Eh bien oui. Peut-être que c'est ça, tu n'en sais rien... TU N'EN SAIS RIEN !

Ariane me fait signe d'attendre quelques instants. Elle prend le téléphone et contacte Victor. Elle lui raconte ma nouvelle hypothèse de vie. Je l'entends rigoler avec ce dernier, mais je n'entends pas la nature des propos. Puis, plus rien, que des acquiescements par sons et par hochements de la tête. Je l'entends répondre.

— C'est une merveilleuse idée et je vais le faire, qu'on en finisse... sinon, on va en entendre parler pendant des semaines.

Elle raccroche et me fixe sans un mot. Elle me prie de demeurer chez moi pour la prochaine heure. Dès qu'elle est chez elle, je suis prise d'un sentiment de nervosité. Elle m'a demandé de rester chez moi, mais elle n'a pas interdit de contacter Victor. C'est ce que je fais.

— Victor, c'est moi.

— Ah oui ! Ma nouvelle amie lesbienne ! dit-il dans un éclat de rire.

— Arrête de rire, je suis sérieuse.

— Gabrielle, depuis le temps que je te connais, tu passes ton temps à réfléchir et à chercher des réponses à des questions parfois aussi farfelues que graves. Pour ce que vaut mon opinion, tu es définitivement une femme à hommes.

— Mais tu n'en sais rien, puisque moi je ne le sais pas...

Ce cher Victor éclate de rire à nouveau.

— Tu as la mémoire courte, mon amie *je n'ai plus de cerveau devant certains hommes*. Où est Ariane en ce moment ? me demande-t-il.

— Chez elle, mais je ne sais pas trop ce qu'elle prépare. J'imagine que c'est ton idée ?

— Il faut ce qu'il faut, pour toi notre amie adorée. Tu remercieras tout le monde pour notre travail d'équipe ! Mais surtout, n'oublie pas de remercier une personne en particulier... mais je ne t'en dis pas davantage.

— Et c'est quoi au juste votre idée ?

— Surprise, ma chérie ; tu ne voudrais pas gâcher notre plan de sauvetage à cause de ton impatience de toujours, me dit-il sur un ton d'avertissement.

— Non… bien sûr que non, répondis-je, penaude.

— Alors, laisse passer le temps et profite ! C'est fou ce que j'aurais aimé être présent. Maintenant on raccroche et tu attends sagement.

Une heure plus tard, Ariane appelle sur mon portable. Elle me demande d'aller au salon et de fermer les rideaux. J'obéis nerveusement. Je sais ce dont sont capables mes proches, particulièrement lorsqu'ils font équipe.

Ariane ouvre la porte d'entrée et pénètre dans la maison. Sur un ton grave, elle me dit que ce soir, j'aurais la réponse à mon questionnement. Je la regarde, ne sachant pas trop quoi penser de son affirmation. Ariane se dirige vers la cuisine et ouvre le sellier. Elle choisit une bouteille de vin, me verse un verre et me dit de boire l'entièreté. Je m'exécute sans broncher. Je remarque toutefois qu'elle a pris soin de sortir une deuxième coupe, mais ne se sert pas. Elle me ressert une deuxième fois et me demande à nouveau de boire le contenu.

— Gabrielle, me dit-elle, je sais que tu as confiance en moi. Alors je vais faire quelque chose pour toi, une fois pour toutes. Dans quelques minutes, Lily viendra te rendre visite. Je me suis permis de la contacter et elle veut bien nous aider.

— Vous allez faire quoi ? Tu m'inquiètes un peu…

Au même moment, on cogne à la porte. Lily entre dans la maison et je reconnais ce regard. C'est celui de la charmeuse, de la chasseuse. Je regarde Ariane avec interrogation et je sens que la tête me tourne légèrement. Elle pose son doigt sur mes lèvres pour me faire taire. Elle hésite un peu, je la sens réfléchir un moment. Elle me regarde sans dire un mot. Lily est maintenant à ses côtés, elles échangent un bref regard. Ariane me souhaite de passer une belle soirée et redescend chez elle. Lily, toujours silencieuse, m'observe. Elle passe à la cuisine, se verse un verre de vin et apporte la bouteille avec elle. Elle laisse couler le liquide dans ma coupe et me suggère de boire encore. Ce que je fais d'un trait. Elle prend quelques gorgées de vin et me parle tendrement.

– Surtout, ne réfléchis pas… laisse ton cerveau de côté pour une fois.

Puis, légère comme un papillon, elle se soulève et s'installe sur mes cuisses, à califourchon. Elle me fait face et pour la première fois de notre existence, sa tête dépasse la mienne. Elle glisse ses bras autour de mon cou.

– Gabrielle, ne bouge pas. Laisse-moi faire, me chuchote-t-elle à l'oreille.

Elle se penche et pose ses lèvres délicatement sur les miennes. J'ai un léger sursaut devant la surprise, alors elle se retire quelques secondes. Elle m'embrasse à nouveau, mais cette fois-ci avec davantage de force et de puissance. Puis, sa langue retrouve la mienne totalement immobile. À cet instant, je me dis : « Wow, elle embrasse vraiment bien… mon Dieu que ça ne me surprend pas d'elle ! » Puis, sur cette pensée, je profite un peu du moment présent (elle utilise des techniques plus efficaces que les miennes). Finalement, elle retire doucement ses lèvres de contre les miennes et me caresse les cheveux. Elle jette son regard dans le mien, elle penche légèrement la tête. À sa façon féline, elle déboutonne sa chemise finement. Un bouton à la fois. À la vue de son soutien-gorge, je me dis : « Wow, il est beau ce sous-vêtement… je me demande où elle a trouvé cette merveille. » Elle susurre à mon oreille.

— Est-ce qu'on passe à la suite ?

Durant les quelques secondes qui suivent sa proposition, Lily pose ses mains sur mes épaules et s'apprête à les glisser vers ma poitrine.

LÀ… J'avoue mon malaise et mon « léger » sentiment de panique. Mon cœur se met à battre la chamade et mes jambes veulent absolument quitter la maison au plus vite. Mais je ne le peux pas… elle est toujours assise à califourchon sur moi. Je me vois mal propulser mon amie à bout de bras ; il ne me reste que la parole.

— Heuuuu ! C'est quoi la suite dans ta tête, Lily ?

Elle regarde en direction de ma chambre à coucher et me fait signe de la suivre.

— Tu n'es pas sérieuse ! Je ne voudrais pas t'offusquer, mais…

— Mais quoi ? Tu es une lesbienne sélective ?

— Bien on pourrait dire ça… ça semblait mieux en théorie qu'en pratique. Tu es magnifique, tu le sais… mais je n'y arriverai pas.

Lily, toujours assise sur moi, lève un sourcil en signe de perplexité et soutient mon regard.

— O.K., dis-je, c'est bon, vous gagnez votre point, tous les trois. CÂLICE… il me semblait que c'était plus simple dans ma tête ; maudite vie de TABARNAK !

Lily se retire de sur mes cuisses et prend place à mes côtés. Elle saisit le téléphone et signale le numéro d'Ariane.

— Ariane… c'est déjà terminé ! Pas très sexuelle, notre lesbienne sélective ; même avec de l'alcool dans le corps !

Immédiatement après l'appel, Ariane remonte chez moi. Elles sont fières d'elles, j'en suis certaine. En fait, elles irradient de fierté. Je me blottis dans les bras de mes deux amies de longue date. Le cœur reconnaissant d'avoir ces êtres dans ma vie.

— Je vous aime, toutes les deux. D'un amour tout aussi platonique que le vôtre, dis-je.

— Nous le savons Gabrielle, en fait nous l'avons toujours su, dit Lily. Par contre, je ne savais pas que tu embrassais d'une façon aussi… crispée !

Ariane signale déjà le numéro de Victor.

— Il doit attendre le récit de l'histoire avec impatience, dit-elle en riant.

Ainsi se termine mon épisode « je suis inconsciemment une lesbienne attirée par les hommes ». Et ainsi, je retourne dans ma case « je suis en peine d'amour, ça fait mal et je suis incapable de m'étourdir suffisamment pour ne plus rien ressentir ».

Mon orchidée semble agoniser. Il ne reste qu'une fleur…

# Le bureau

Ce matin-là, après plusieurs semaines, voir quelques mois de crises de larmes à cause de ce foutu Philipe, je revenais d'une visite « surprise » chez une de mes clientes. J'avais le suivi depuis un certain temps et les enfants étaient sous le couvert de la Loi de la protection de la jeunesse pour négligence parentale. Entre autres choses, les parents ne se levaient pas le matin et négligeaient les soins de santé. Lors de ma prise en charge du dossier, le jeune garçon de huit mois était donc contraint de demeurer dans son urine et attendre d'être alimenté par les parents, au moment où ils se réveilleraient vers midi. L'aînée, d'âge scolaire primaire, avait l'habitude de se rendre à l'école et de s'y préparer seule. Elle en profitait également pour s'occuper de son autre petit frère qui fréquentait également l'école, niveau maternelle. Il s'agissait vraiment, dans le cas de la petite, d'un exemple concret du phénomène de « parentisation », ou plus simplement, une inversion des rôles entre les adultes et l'enfant. Ce dossier, parmi les vingt-cinq familles sous ma responsabilité, n'était pas particulièrement complexe ni dramatique par rapport à la moyenne du contenu de mes assignations de dossier.

À mon arrivée au bureau, un peu plus tard dans la matinée, j'eus certaines difficultés à trouver un stationnement. Il y avait tout autour du bâtiment plusieurs véhicules policiers et une ambulance. Ce n'était pas la première fois que j'assistais à cette cohue. L'on n'en parle pas régulièrement publiquement, mais les agressions contre les intervenants sont chose courante. La plupart du temps, il s'agit de menace de mort, de tentative d'agression physique, d'harcèlement, mais il arrive que nous soyons blessés légèrement, et ce, malgré les tentatives d'assurer notre sécurité. J'avais moi-même eu une entorse cervicale et quelques blessures psychologiques traumatisantes. Choisir d'œuvrer parmi la souffrance humaine a un prix difficilement démontrable concrètement. Alors, ce matin-là, j'étais davantage ennuyée par le fait de circuler en rond, à la recherche d'une place pour la voiture, que par la présence de tout ce déploiement.

En entrant par la réception, au même moment où l'ambulance quittait les lieux en trombe, j'eus l'impression que mes collègues portaient un regard étrange sur moi. Lorsque je demandai un compte-rendu des événements, une de mes collègues me dit rapidement que ma patronne m'attendait à son bureau. La situation n'était pas normale et je sentis mon cœur battre à tout rompre. Je ne savais pas de quoi il en retournait et je ne voyais pas Ariane parmi le rassemblement de mes collègues. Je vis toutefois le regard inquiet de Marco.

– Marco, où est Ariane ?

– Gaby, je pense que Solange voudrait te parler ; elle t'attend dans son bureau. Je sais qu'elle a tenté de te joindre, comme moi d'ailleurs.

– Mon cellulaire est resté sur ma table de cuisine ce matin. Dis-moi ce qui se passe, tu me fais très peur.

– Viens Gabrielle, je t'accompagne.

Il me prit doucement le bras et fit signe à l'attroupement d'intervenants de nous céder le passage.

– Merde, où est Ariane ? Vas-tu me répondre à la fin. Je ne monte pas en haut avant de le savoir.

– Elle est dans l'ambulance, en route pour le centre hospitalier.

Au même moment, je vis les policiers effectuer une manœuvre pour entrer l'homme en état d'arrestation dans le véhicule. Je le reconnus immédiatement. Il s'agissait d'un des clients d'Ariane. Ce même homme qui l'obligeait à être escortée par des agents de sécurité lors des comparutions au tribunal de la Chambre de la jeunesse. Depuis qu'elle avait eu l'assignation de ce suivi, Ariane avait reçu de cet homme de nombreuses menaces de mort et de voies de fait. Même si les policiers ont procédé à son arrestation à plusieurs reprises suite aux plaintes d'Ariane et de celles la directrice de la Protection de la jeunesse, et même si, en attendant l'audition de la cause à la cour criminelle, le juge avait imposé un interdit de contact avec Ariane, la menace n'était pas écartée pour autant.

Solange, ma patronne, avait été informée de mon arrivée. Elle s'empressa de mettre fin à son entretien avec la directrice de la Protection de la jeunesse, afin de venir à ma rencontre. Elle me prit doucement par le bras et demanda à Marco de rester près de nous. J'étais incapable de détourner mon regard de cet homme qui souriait fièrement à la cohorte d'intervenants massés en foule. Je l'entendis hurler qu'il nous avait prévenus, qu'il était temps qu'un honnête citoyen donne une leçon aux kidnappeurs d'enfants de l'État. Je vis les policiers lui ordonner de se taire, je sentis le trouble de mes collègues, je vis les journalistes converger vers le bâtiment. Je sentis mon sang affluer dans mes jambes et mes bras. En quelques secondes, je me libérai brusquement des mains de Solange et de Marco. J'étais maintenant entre les mains des policiers, qui tentaient tant bien que mal de mettre fin à mes tentatives de faire éclater les vitres de la voiture de patrouille à l'aide de mes poings. Je hurlais.

— Charogne humaine, malade mental, trou de cul; t'en as pas assez de t'attaquer à des enfants pis des femmes, faut que tu continues!

Dès que les policiers sentirent que j'étais en contrôle de mon comportement, ils me lâchèrent. Sans me retourner vers mes collègues et ma patronne, je partis en direction de l'hôpital sans attendre.

Ce furent les images présentées au bulletin télévisé, du midi et du soir.

# Le centre hospitalier

— Bonjour Gabrielle, me dit l'infirmière de l'urgence. On ne se voit pas dans un contexte agréable, aujourd'hui.

— Comme toujours, en fait. C'est juste que cette fois-ci, c'est pour Ariane au lieu d'un enfant maltraité.

— Ariane a été transférée sur les étages. Elle t'autorise à recevoir les informations sur l'état de sa santé. Je vais chercher le Dr. Norman, il va pouvoir t'en dire davantage. Tu peux t'asseoir dans le salon des employés en attendant.

Je pris place dans le salon et décrochai le téléphone pour signaler le numéro du bureau.

— Solange, c'est moi. Je suis sur place et j'attends la visite du Dr. Norman. Elle est sur l'étage… je vais la voir dans les prochaines minutes. Dis-moi maintenant ce qui s'est réellement passé.

– Ariane était de retour au bureau, après une visite chez l'un de ses clients. Elle est sortie de son véhicule et est entrée au bureau via la porte codée sur le côté du bâtiment. Au lieu de prendre l'ascenseur, elle a décidé de monter au troisième étage par les escaliers. Nous pensons qu'il était juste derrière elle, mais elle ne l'aurait pas aperçu. Soit il avait le numéro du code, ou encore il a profité du fait que la porte n'était pas complètement fermée. Ariane a atteint le troisième étage. Au moment où elle ouvrait la porte du corridor, il serait arrivé derrière elle. Elle n'a pas eu le temps de l'apercevoir. Il l'a immobilisée par le cou et l'a maintenue plaquée au mur. Marco passait par là au même moment. Il a vu Ariane et son agresseur. Il a ouvert la porte pour l'enjoindre de se calmer. Il avait une arme blanche, qu'il pointait sur la poitrine d'Ariane. Marco a tenté de le raisonner, au risque de sa propre sécurité. L'homme n'a rien voulu savoir. Il a tenté de pousser Ariane dans les escaliers, Marco a tenté de le freiner... mais il était trop tard. Ariane a fait une chute violente et était inconsciente à l'arrivée de l'ambulance. L'homme a quant à lui été immobilisé par Marco et deux autres de tes collègues qui avaient entendu les cris. Nous avons contacté immédiatement les policiers et les ambulanciers. Gabrielle, j'ai annulé tous tes rendez-vous. Prends le reste de la semaine pour toi. Gabrielle... prends soin de toi et d'Ariane. C'est vraiment un triste jour pour la boîte.

– Ne t'inquiète pas, ce sera fait. Solange, merci pour tout ce que tu fais pour nous. De tous les patrons que j'ai eus, tu es la plus précieuse... le diamant qui est trop souvent perçu comme une simple roche. Je t'aime vraiment beaucoup, Solange.

J'ai raccroché le récepteur et me suis mise à pleurer durant de longues minutes. Il y a vraiment des jours où je me demande pourquoi je fais ce travail. Un peu comme si le fait de me mettre en danger me place dans une situation où je ressens mieux la vie. Est-ce du suicide émotif à petit feu ? Je n'arrive pas à répondre à cette question qui me hante parfois. C'est à ce moment que le Dr. Norman fit son entrée, discrètement.

— Bonjour Gabrielle. Vous désirez que je revienne un peu plus tard ?

— Non, ça va… j'aimerais savoir comment elle va.

— D'accord. Alors, en résumé, Ariane a subi une fracture des deux hanches, une commotion cérébrale, une fracture du bras gauche et nous surveillons la blessure au dos, provoquée par l'arme blanche.

— Est-elle en danger ?

— Nous ne le croyons pas. Elle est toutefois sous observation, particulièrement pour sa commotion cérébrale. Comme vous pourrez le constater, Ariane n'a aucun souvenir de l'événement. Il s'agit d'un symptôme courant et il est réversible, dans la plupart des cas. Dès que possible, nous opérerons pour les fractures des hanches. Pour le bras, elle est sur le point de recevoir les soins nécessaires.

— Vous prévoyez la garder hospitalisée pour combien de temps ?

— Il est certainement possible que l'hospitalisation soit de quelques semaines. Par la suite, il y aura également une période de réadaptation physique… disons de quelques semaines supplémentaires. Mais l'important, c'est que pour le moment, tout se répare, si je peux m'exprimer ainsi. Ariane est une femme chanceuse. Il aurait pu y avoir des dommages beaucoup plus sérieux. Elle est actuellement dans la chambre 302.

– Je vous remercie, Dr. Norman ; je peux aller la voir ?

– Certainement. Elle est sous sédatifs, par contre.

J'entrai dans la chambre ; Ariane somnolait sur son lit. L'infirmière terminait la validation du matériel médical et la prise de ses signes vitaux. Au moment où je pris place à ses côtés, Ariane ouvrit les yeux.

– Ariane ?

Elle se tourna lentement en ma direction et grimaça de douleur.

– Ne bouge pas… tout va bien…

– Que s'est-il passé ?

– Tu as été agressée par ton client, Monsieur X.

– Je ne me souviens de rien…

– C'est normal, ne t'inquiète pas, tout va rentrer dans l'ordre.

– Luna ? Où est Luna ?

– Elle est à la garderie, je vais m'en occuper, ne t'inquiète pas.

– Je vais rester ici combien de temps ?

– Je ne sais pas trop… quelques semaines.

– Qui va s'occuper de Luna ?

– Est-ce une question ?

– Non… Gabrielle, tu vas en prendre soin ?

– Tu sais bien que oui.

– Comment vas-tu faire pour t'organiser avec la petite ?

— Ne t'inquiète pas, je vais m'arranger. De toute façon, je suis forcée de prendre quelques jours de congé.

— Pourquoi ?

— Disons que les fils de mon cerveau se sont touchés… J'ai tenté d'agresser Monsieur X. Mais ceci est une autre histoire, que tu pourras certainement visionner à ta sortie de l'hôpital. Je suis certaine que mon père va enregistrer l'extrait qui sera présenté à la télévision. Sinon, je vais certainement prendre une place très populaire sur YouTube. Après l'assaut du gardien de but dans les ligues mineures, voici l'assaut de la travailleuse sociale de la Direction de la Protection de la jeunesse sur un client.

— Je ne comprends rien de ce que tu dis, Gaby.

— Ce n'est pas grave. Disons juste que je viens de découvrir que ma carrière passe après la famille et les amis.

Long silence. Ce même silence qui me replonge dans un état émotif qui pousse mes larmes vers la sortie.

— Ariane, je te demande pardon.

— Pourquoi Gabrielle ?

— Je suis désolée de ne pas avoir été là. Désolée pour toutes les fois où je t'ai fais chier… je suis désolée (nouveau sanglot). J'ai tellement eu peur… peur qu'il ait réussi à te tuer…

— Arrête de pleurer Gaby, tu me fais pleurer aussi… Et là, j'ai trop mal partout pour sangloter. Gabrielle, tu n'as rien à te faire pardonner, nos comptes ont toujours été balancés. Tu n'y pouvais rien ; mais merci pour ton assaut, je me sens un peu moins victime, étrange non ? Cette histoire en est juste une qui s'accumule depuis les années au bureau. Juste l'histoire qui me conforte dans ma décision de quitter cet enfer, sans avoir l'impression de manquer de courage envers ceux qui y demeurent.

# Gabrielle et Luna

– Luna ? Es-tu prête ? On va être en retard… non, laisse faire la robe de princesse… on n'a pas le temps. Luna ? Qu'est-ce que tu fais ? Ça fait dix minutes que je te dis qu'on doit partir. Marraine est attendue au bureau, tu dois aller à la garderie et ce soir, on rend visite à maman. Luna ? Non… laisse faire les petits souliers de princesse… tu les mettras ce soir, lorsque nous reviendrons de la visite de maman. Luna ? Et merde… On va être en retard. Je me demande comment maman fait pour être aussi patiente… Luna ? Tu t'en viens mon chaton ? Non… laisse faire le poisson… il va attendre ton retour ce soir.

– Mais maman elle veut, elle ! dit Luna sur la défensive.

– Ne dis pas n'importe quoi, Luna. Je te vois tous les jours, depuis ta naissance. Je suis particulièrement consciente de tes droits dans cette maison. Je ne pense pas que maman voudrait que tu amènes Sébastien le poisson à la garderie. Si c'est le cas, tu feras ça avec elle. Elle revient bientôt… Allez, allez, allez !

– Mais marraine, me dit Luna, on est toujours pressées… avec maman, ce n'est pas comme ça.

– Ta mère est une sainte qui se lève aux aurores. Marraine est une célibataire qui ne s'occupe que d'elle et de ses heures de sommeil. D'ailleurs, mes heures de sommeil sont presque totalement absentes de mon régime de vie, maintenant. Mais heureusement, marraine t'aime de tout son cœur, alors elle fait des efforts et s'occupe de toi tous les jours. Marraine n'est pas parfaite, mais elle fait de son mieux. Dépêche-toi un peu…

Et ainsi se déroule quotidiennement la routine du matin. Évidemment, j'ai parfois droit à la crise du « bacon » sur le sol, lorsque j'interdis certains types de vêtements inappropriés pour la saison. Honnêtement, je dois sacrer dans ma tête une vingtaine de fois par jour. Les soupirs semblent également faire partie de ma vie, particulièrement depuis que je constate que le temps est un concept relatif pour un enfant. Et lorsque j'emploie le mot « relatif », je demeure d'une politesse faisant preuve d'une grande maturité affective.

Finir les repas sur le pouce et pas toujours selon le guide alimentaire canadien. Interdits : les poissons, les sushis et la plupart des légumes que l'on apprécie, sans la crise d'une enfant qui croit être sur le point d'être empoisonnée. Alors, j'y vais de plusieurs subterfuges. Je promets des desserts, des permissions spéciales, des gâteries… Mais j'apprends vite que le sucre en soirée n'achète la paix que pour un instant. Par la suite, le temps de la métabolisation… « Attache ta tuque avec de la broche », on dirait qu'elle a déjà fait sa nuit, alors que moi, je suis épuisée.

Parlant encore de sommeil, je dors maintenant d'une oreille. Guettant le moindre bruit ou le moindre éveil de cette petite nymphe qui se recharge aussi rapidement que mon cellulaire. Il faut dire également qu'elle m'a laissée pétrifiée et traumatisée, lors d'une certaine nuit où les coqs devaient être sur le point de chanter.

– NOOOOOOOOONNNNNNN!!!!!!!

J'entends le hurlement de ma filleule. Je suis aussitôt sur mes pieds et parcours à une vitesse folle la distance qui sépare nos chambres. Elle est là, assise sur son lit, les yeux grands ouverts et elle hurle et hurle encore.

—Qu'est-ce qui se passe, mon chaton ?

Elle ne me répond pas, ne me voit pas. Elle se recule vers son mur, se recroqueville, elle pleure de terreur. Je la prends dans mes bras, elle me pousse fortement. Je la reprends à nouveau. Elle me regarde d'un air livide. Elle hurle toujours.

– As-tu de la douleur ? As-tu vu quelqu'un ? Tu as fait un cauchemar ?

Elle me regarde toujours, avec un regard quasi psychotique. J'en ai des frissons, elle me fait un peu peur, je l'admets. Je me sens propulsée dans le film *L'exorciste* et je ne sais pas quoi dire, ni quoi faire. Puis, comme par magie, elle referme ses yeux et dort, tout simplement.

Je la dépose doucement, je replace les couvertures sur son corps. J'ai le cœur qui veut me sortir de la poitrine. J'ai encore l'adrénaline au maximum dans mes mains et mes jambes. Pour plus de sûreté, j'ai la brillante idée d'inspecter la maison, garde-robe par garde-robe. À chaque porte, je crains le pire… J'ai peur de retrouver une copie de Monsieur X, même si je sais qu'il est confortablement installé dans une cellule en prison.

J'ai lu et entendu parler du phénomène des terreurs nocturnes… mais je ne savais pas que l'eau bénite pouvait aussi être inclue dans la trousse de premier soin, parmi le « tire-morve », le thermomètre rectal et les diachylons de la « fatigante Dora, l'hostie d'exploratrice ».

Puis, je retourne me coucher, sans aucune possibilité de fermer l'œil et dans l'attente de l'alarme du cadran. J'entends mes poches sous mes yeux se réjouir ; elles prennent de l'expansion sur mon visage de plus en plus blême et fatigué.

Il y a aussi la célèbre phrase « tu ne joues jamais avec moi ». Je hais cette phrase. J'ai beau passer quatre-vingt-dix pourcent de mon temps libre en sa compagnie, ce n'est jamais assez. Cette petite créature déborde d'imagination quant à la nouvelle teneur de son divertissement avec des règles toujours flexibles en sa faveur. Puis, toujours selon sa perception du temps, elle met fin au jeu aux trois minutes, soi-disant parce qu'elle a une meilleure idée.

Il y a aussi l'inquiétude. Ce nouveau sentiment qui semble s'être installé d'une façon grossière dans tout mon être. L'inquiétude sur l'alimentation, sur l'habillement, sur les jeux à l'extérieur, sur ses déplacements que je juge un peu trop « Cirque du Soleil » à mon goût. Je vis l'anxiété qu'elle soit malade ou souffrante, qu'elle se blesse. Je suis aussi possédée par la crainte, celle de ne pas être suffisamment patiente ou à la hauteur de mon rôle d'emprunt.

Il y a aussi l'envahissement. Cette impression de toujours avoir en arrière plan la situation d'Ariane au niveau médical, et celle de me surprendre à m'ennuyer de la petite durant le jour. Et les larmes, celles de Luna, au moment où l'on doit quitter Ariane afin de retourner à la maison, en fin de visite. Ou encore lorsque Puppis, sa peluche depuis la naissance, dit s'ennuyer de sa maman.

Ariane rigole lorsque je lui fais part de mes observations et mes peurs. Histoire de me torturer un peu, elle ne m'avise que plusieurs jours plus tard que je gâte trop ma filleule et qu'elle profite de mon manque de limitation. Faut dire aussi que je ne veux pas qu'elle souffre trop de l'absence de sa mère. Mais au fond, c'est aussi un peu moi qui souffre de l'absence d'Ariane. Malgré mon cœur débordant d'amour pour Luna, il m'arrive parfois de penser à ma vie des derniers mois. Je m'ennuie de ma liberté, de me nourrir quand bon me semble, de tarder après le travail, de visiter mes copines selon mes humeurs. À la limite, ma solitude me manque aussi un peu... On dirait que je l'ai perdue trop rapidement. Comme si je n'avais pas eu le temps de faire ce deuil de lui souhaiter bon voyage vers une autre Gabrielle, malgré toute ma hâte de la voir me quitter.

Par contre, il y a les câlins et les regards amoureux qu'elle me porte. Les moments où je prends un certain plaisir à retrouver mon côté enfant. Il y a aussi nos longues balades à vélo. Luna qui mange un cornet au chocolat et qui considère que je suis son héroïne, parce que c'est moi qui lui ai offert. Il y a aussi l'heure du bain, période agréable et où je l'entends discuter avec ses poupées et raconter sa journée dans ses mots d'enfant. Il y a la fin du travail, au moment où j'arrive à la garderie le soir. Ces retrouvailles sont parfois aussi grandioses que dans les films. Je pense aussi à sa petite main qui glisse dans la mienne. Parfois pour se sentir en sécurité, et parfois juste parce qu'elle est heureuse. Il y a mon cœur, celui qui explose et qui déborde d'amour et de tendresse pour quelqu'un d'autre que moi-même, mes copines ou mon travail.

J'ai toujours voulu avoir un enfant. Cette expérience, bien que troublante, me confirme ce désir malgré le prix existant pour goûter à ce bonheur, aussi futile et intense puisse-t-il être tout à la fois. Par contre, je ne le ferai pas sans la présence d'un père ; j'en serais incapable. J'en ai maintenant la profonde conviction.

Chapeau, ma tendre amie Ariane. Tu as fait de cette enfant un être adorable. Ce succès t'appartient presque entièrement. Il est vrai que j'ai un peu contribué, mais je n'avais jamais constaté que j'avais, la plupart du temps, la plus belle part du gâteau. Celle de pouvoir quitter quand bon me semblait, et ce, peut-être même dans les moments où tu devais avoir horriblement besoin d'un Valium ou de Miguel. Je sais que tu me dirais que je suis trop sévère envers moi-même, qu'il y a des fois où tu as pu compter sur moi. La seule différence, c'est que moi j'avais ma clé de la liberté, tandis que toi, il y a longtemps que tu l'as mise dans une boîte bien scellée que tu n'ouvres que très rarement.

Ariane est rentrée à la maison au début du mois de février. Juste à temps pour que je puisse retourner sur les pentes de ski, celles qui m'appelaient depuis les dernières semaines. Celles qui me font sentir légère et féline. Celles qui me portent sur leur dos et qui s'enorgueillissent de me voir suivre les pistes qu'elles tracent… juste pour moi. Ces mêmes pistes qui, de temps en temps, me rendent le défi trop élevé et m'accueillent, au moment où je m'étends de tout mon long. Mais qu'à cela ne tienne, malgré les chutes, je me relève et me remet toujours en piste.

En passant… Lors de mon retour dans « ma vie normale », j'ai dû déclarer mon orchidée physiquement morte. L'heure du décès, selon le coronaire horticulteur : aucune idée, mais à voir sa couleur, le cadavre oublié le fût durant un certain temps. Les causes du décès: la mort serait due à un manque d'amour et de soins. Elle repose maintenant en terre, dans un cimetière remplit de ses semblables. Le cortège funèbre en son honneur fit le tour de la ville, afin de récupérer des compagnons de toutes sortes et de toutes origines. Bref, je l'ai « pitchée » à la poubelle et les éboueurs ont fait le reste.

# Le bureau des plaintes

Je suis dans ma voiture, la tête contre le volant. Je ne me frappe pas la tête, mais ce n'est pas l'envie qui manque. Je viens de laisser Ariane à l'entrée de l'hôpital pour sa séance de physiothérapie. Je lui ai dit que je la rejoindrais après avoir pris le temps de déjeuner au restaurant. J'ai un peu menti… je n'ai pas faim, mais j'ai besoin d'un moment.

Ce matin, je me suis levée avec une drôle d'humeur. Pas celle qui annonce mes quarante-huit heures dépressives. Un autre type, celui qui nécessiterait l'existence d'un bureau des plaintes envers l'Univers ou Dieu. Je voudrais voir un de ses employés, je voudrais pouvoir remplir un formulaire et demander des explications et des justifications. J'aimerais, en fait, pouvoir hurler sur quelqu'un toute « l'écœurantite aiguë » de ma solitude. Quelqu'un qui pourrait ensuite aller voir son patron et dire :

— Je pense que la dame à l'entrée n'est pas satisfaite de nos services. Elle réclame un remboursement et nous menace de poursuite judiciaire.

Mais comme j'ai un certain doute quant au fait d'être bien comprise et que ma cause n'est certainement pas prioritaire, je crains un peu qu'on me punisse en me retirant tout ce que j'ai. Maudite éducation judéo-chrétienne et son sens de la culpabilité et de l'importance de la petitesse de son être ! Alors, dans le doute, j'ose à peine me plaindre dans ma tête. Donc, je boude et je suis dans ce genre d'humeur si particulière. Pourtant, je fantasme sur l'idée de me prendre un avocat ; celui des causes perdues. Je m'imagine devant le juge et un jury de cœurs esseulés. Je me vois tentant d'offrir des pots de vin, même si c'est en fait de l'eau… transformée par mon ami Jésus ! (Si ça se fait en politique, alors pourquoi pas avec le Ciel ?) Je vois le verdict… et moi qui vais en appel immédiatement, si le jugement n'est pas en ma faveur.

Il y a maintenant six mois que j'ai « flushé » Philipe définitivement de ma vie. J'ai pleuré durant de nombreuses semaines, je me suis mise en colère contre lui et contre moi. J'ai négocié avec la vie pour qu'il revienne. Je me suis mise à nouveau en colère contre moi-même, particulièrement pour avoir tenté ce marchandage. J'ai pleuré à nouveau et puis un jour, j'ai réalisé que j'allais mieux. J'allais même très bien, au point de me demander ce qui avait bien pu se passer pour que je tolère et crois en cette histoire d'amour de merde !

Depuis deux mois, j'ai l'impression que le printemps est de retour dans ma vie. Étape probablement provoquée par la garde de Luna à temps complet, durant quelques semaines. D'ailleurs, je constate que l'absence de Luna à la maison rend ma solitude et le silence encore plus bouleversants.

Je suis toujours appuyée contre le volant et c'est plus fort que moi… je crie « MERDE, MERDE, MERDE ! »

On cogne à ma fenêtre, je hurle de terreur sous l'effet de surprise. Je regarde la personne à qui appartient la main sur la fenêtre. « MERDE, MERDE, MERDE… » me dis-je, cette fois-ci en silence. La main appartient à Olivier, mon nouvel intérêt masculin… Je baisse la vitre, légèrement indisposée et un peu humiliée.

— Ça va, Gabrielle ?

— Très bien, merci… Et toi ?

— Oui, oui… Tu n'es pas à l'intérieur avec Ariane ? me dit-il d'un air amusé.

— Je m'y rendais justement. Et toi ? Tu ne devrais pas être avec elle pour son traitement ?

— J'avais un petit empêchement ce matin, un collègue m'a remplacé. On entre ensemble ? Ou tu continues à crier des injures dans ta voiture ?

Et merde et re-merde ; je savais que de me plaindre rendrait les choses encore plus ironiques. La vie est une vache et une salope, c'est confirmé !

— Non, non… j'ai terminé. Je vais entrer avec toi.

Il ouvre ma portière de voiture. Nous marchons le bout de chemin entre le stationnement et la salle de physiothérapie, presque silencieusement. L'absence de son sarrau provoque étrangement une intimité plus perceptible. Il faut dire également que le béguin ÉNORME que j'ai pour Olivier m'intimide. Plus je le vois, plus mon cœur chante... Alors imaginez les autres parties de mon corps ! Je connais Olivier depuis presque quatre ans. Mais connaître est un grand mot. Disons que j'ai eu affaire à lui à travers un suivi pour l'un de mes petits clients. À l'époque, j'avais été charmée par son intelligence et ses propos. Depuis ce temps, nous nous croisons ici et là à l'hôpital, en nous saluant poliment, mais sans plus.

Il a fallu l'accident d'Ariane pour le remettre plus assidûment dans mon royaume et entourage. C'est un peu à ce moment que j'ai réalisé que je le trouvais séduisant, charmant, intelligent, masculin… vous savez… tout ce que provoquent les phéromones. Mais à ma connaissance, Olivier est en couple. Du moins, c'est ce que j'ai su l'année dernière, lors d'une conversation tout à fait anodine. Alors, vous voyez, en ce moment, je voudrais vraiment pouvoir lancer un objet contondant sur l'un des représentants de l'Univers ou de Dieu, l'un ou l'autre me convient. J'ai pensé à un prêtre… mais je ne leur accorde plus suffisamment de crédibilité, afin d'obtenir le petit soulagement provoqué par le défoulement recherché. En plus, qui me dit qu'ils ne porteraient pas plainte ? Ils ne le font pas entres eux ; ça, nous commençons fortement à nous en douter. Mais peut-être le font-ils pour les autres ? Oups ! Vraiment un commentaire désobligeant et je ne dois surtout pas tenter le diable.

– Elle est par là, me dit-t-il en pointant du doigt.

– Merci pour la petite promenade, dis-je en rougissant légèrement. Je te souhaite de passer une belle journée.

– À toi aussi, Gabrielle.

Il prend la direction inverse et repart avec énergie. J'avoue m'être permise de regarder ses cuisses et son postérieur derrière son dos. Je reprends ma marche en direction d'Ariane. À mon arrivée, Ariane observe mon visage et mon air de chien battu.

– C'est quoi le problème encore ? me demande-t-elle.

– Rien…

– Arrête, ça paraît dans ton visage.

– Rien, je te dis. C'est juste mon engouement pour un homme encore en couple… et cette vache de vie qui s'amuse à me torturer.

– Tu parles d'Olivier encore ?

– De qui d'autre veux-tu que je te parle ? C'est comme une obsession… je suis tellement en « tabarnak » que ça m'arrive à moi. Comme si ce n'était pas possible que je puisse un jour tomber amoureuse de quelqu'un qui serait aussi amoureux de moi, et libre !

– Justement, en parlant d'Olivier, je ne suis pas certaine qu'il soit encore en couple. J'ai surpris une conversation de ses collègues à ce sujet. Mais je ne peux pas te garantir que ce soit lui dont il était question. Tu veux que je pose la question ?

– Pas la peine, c'est le même scénario que ma vie reproduit… alors j'en fais mon deuil maintenant ; il n'est pas question que je me mette à espérer et à me raconter des histoires de contes de fées. J'aurais aimé que ce soit lui, mais ce n'est pas lui… un point c'est tout.

– Tu ne le sais pas.

– Tais-toi Ariane, je ne veux plus en entendre parler ; change de sujet, dis-je sur un ton déterminé. Ah et puis de la merde… j'ai une dernière chose à cracher, dis-je sur un ton d'exaspération. Te rends-tu compte que je n'ai pas baissé mes pantalons ou relevé ma jupe devant un homme depuis six mois ! Six mois Ariane… Six mois !

Alors qu'Ariane rigole de mes derniers propos tout en profitant de ce moment pour amasser ses effets personnels, je repars avec mon petit nuage noir en direction des toilettes.

En fermant la porte, je prends un moment pour me regarder dans le miroir et me dire « mais qu'est-ce qu'on va faire de toi, Gabrielle ? ». Puis, je mets une tonne de papier de toilette sur le dessus de la cuvette, afin d'être certaine qu'aucun millimètre de ma peau ne soit en contact avec cet objet public dégueulasse. Particulièrement lorsqu'il s'agit d'une toilette mixte. J'ai toujours un grand dégoût à la vue des poils pubiens qui peuvent traîner dans ces lieux, bien en évidence sur la porcelaine blanche. À la longueur des « frisettes », j'en déduis toujours qu'ils appartiennent aux hommes, qui ne semblent pas toujours réaliser que comme des cheveux, il est tout à fait permis, et même obligatoire, de contrôler la longueur du poil ! Nous ne sommes plus dans les années 1970 et l'afro et les forêts vierges dans les bobettes ne sont plus au goût du jour. Enfin, passons…

Au moment exact où je me relève et commence à peine à remonter mon pantalon, la porte s'ouvre et Olivier entre sans m'apercevoir. Le temps se fige, tout devient au ralenti. Nos regards se croisent au même moment. Je suis horrifiée, il est gêné. Alors que je me bats avec mon pantalon afin de le remonter au plus vite, il cache ses yeux et se confond en excuses. Je ne sais pas quoi lui dire, mon silence semble l'encourager dans un flot d'excuses. Il tente de m'expliquer qu'il arrive que la serrure ne se clenche pas convenablement, qu'il a oublié puisque l'inscription à cet effet a été retirée de la porte. Il est vraiment désolé. Puis, je finis par lui demander, une fois humiliée, s'il peut sortir. Il blêmit et quitte sans broncher en une fraction de seconde.

Je reprends mon souffle, je me regarde à nouveau devant le miroir en me disant « mais qu'est-ce qui m'attend encore ? MERDE, MERDE, MERDE ! ». J'ouvre la porte, Ariane se tient devant. Elle semble n'avoir rien raté du spectacle sonore et visuel de la sortie d'Olivier. Je vois bien qu'elle se retient pour ne pas rire. Olivier a disparu, il n'y a plus aucune trace de lui à l'horizon. Ariane, avant de se mettre à rire hystériquement, me dit :

– Et bien... Tu ne peux plus te plaindre de ne pas avoir baissé tes pantalons devant un homme depuis six mois !

– Va au diable Ariane... Et toi aussi, maudite vie de merde !

# Le tourbillon des professionnels

Je suis sur une civière, les jambes attachées par des courroies et un masque à oxygène posé sur le visage. L'ambulancier me parle de tout et de rien. Je n'ai qu'une seule envie, qu'il se taise et me laisse paniquer en paix. Je vois le chemin reculer devant moi, c'est la première fois que je fais le trajet entre la maison et l'hôpital vu de cette perspective. Il fait noir à l'extérieur, il est environ vingt-deux heures. Nous dépassons plusieurs véhicules. Je me demande à chaque fois si l'on me voit, à défaut d'être entendue à cause de la sirène hurlante. J'ai un peu honte. Honte de ne pas m'être rendue à l'hôpital par mes propres moyens. J'ai trop attendu, j'ai encore une fois misé trop haut sur mes capacités. À moins que ce soit plutôt ma peur des médecins et mes tendances hypocondriaques. Allez savoir, le résultat est le même… je suis dans cette foutue ambulance et j'étouffe.

— Avez-vous toujours autant de difficulté à respirer ? me demande l'ambulancier en replaçant mon masque à oxygène.

— Encore un peu…, dis-je, je suis surtout fatiguée de faire un effort pour respirer.

— Avez-vous vécu des événements stressants ces derniers temps ?

— Non.

— Est-ce que votre conjoint va venir vous rejoindre à l'hôpital ? (J'étais seule à la maison, au moment de leur arrivée.)

— Non, une amie attend sa gardienne et elle viendra par la suite.

— Ah, je vois…, me dit-il en griffonnant je ne sais quoi sur son formulaire.

Je n'ai pas besoin de lui poser la question, je sais exactement le lien qu'il fait dans sa tête. C'est prévisible, je ferais exactement le même lien s'il ne s'agissait pas de moi. Je suis certaine que tous ceux que je vais rencontrer dans les prochaines heures seront tous dans la même lignée de pensée.

Voyez-vous, nous sommes le 14 février, jour de la St-Valentin. Je suis dans une ambulance et j'ai de la difficulté à respirer. Mes poumons semblent assez fonctionnels ; au stéthoscope, ils n'entendent presque aucun sifflement. Je suis asthmatique, d'accord… mais aujourd'hui, je ne suis pas vraiment en crise. Donc, la formule logique devient : célibataire + jour de la St-Valentin + difficultés respiratoires = crise d'anxiété.

– Qu'est-ce qui s'est passé avant la crise ? me demande-t-il à nouveau.

– Rien de spécial, ça fait plusieurs jours que je me force pour prendre des respirations. C'est juste que ce soir, je n'en peux plus et j'ai commencé à me sentir engourdie et faible. En plus, je n'ai plus de voix et je suis certaine que j'ai une sinusite.

– Qu'est-ce qui vous fait croire cela ?

– Mes joues et mon front semblent croire que j'ai reçu des coups de bâtons de baseball à ces endroits.

– Vous avez probablement raison… rien d'autre ?

– J'ai fait beaucoup de ski durant les dernières semaines. En fait, presque à chaque jour. On dirait que j'ai quelque chose dans la gorge, je pense que ma difficulté à respirer provient de cet endroit. Mon père a vu un reportage durant les Olympiques. Le médecin rapportait que l'entraînement des athlètes en période de grand froid pouvait entraîner des spasmes musculaires à la gorge. Mais aussi, je pense que quelque chose compresse mes poumons. J'ai fait une chute en ski… peut-être que cela pourrait être en lien ?

Il me regarde et je le vois bien, dans son œil de satisfaction, que je maintiens sa théorie de spasmes à la gorge dus à l'anxiété. Surtout que pas maquillée, en pyjama (et oui, calvaire !) et les cheveux mi-gras… ça ne m'aide pas à ressembler à une athlète de haut niveau. Disons que je suis plus près de la spécialiste de la moppe et du balai du samedi matin. Il hausse les épaules concernant ma question sur ma chute en ski.

— Très bien, nous arrivons bientôt à l'hôpital, se contenta-t-il de répondre.

Bordel de merde, j'aurais dû prendre ma voiture pour me rendre au centre hospitalier. Non seulement je me sens idiote d'avoir trop attendu, mais en plus, je me sens stupide d'arriver à l'urgence sur une civière, avec probablement un dossier où il est noté en caractère gras : **crise d'anxiété**.

D'ailleurs, dès mon arrivée, on m'envoie dans la salle d'attente et je passe la dernière, plusieurs heures après mon arrivée… vraiment beaucoup de plusieurs heures. Donc, j'en déduis que j'étais de priorité médicale « tu nous fais perdre notre temp ». Heureusement, Ariane était arrivée assez rapidement et passait ces longues heures d'attente en ma compagnie.

— Quel est le problème ? me demande le médecin de garde, sans prendre le temps de m'ausculter.

Je recommence mon histoire, calmement (je suis épuisée et nous sommes presque au petit matin… donc le 15 février).

— Très bien, je vous envoie l'inhalothérapeute. Je vous fais aussi une prescription pour votre sinusite, me dit-elle au moment où elle sort de la pièce.

Je regarde Ariane d'un air surpris Elle est tout autant stupéfaite par ce diagnostic, quasiment fait par télépathie. Je reçois par la suite six doses massives de Ventolin et une explication ; à savoir que je devrai, durant une semaine, me « pomper » aux quatre heures en plus d'une autre pompe de corticostéroïdes, deux fois par jour. Je retourne à la maison, perplexe, et toujours avec cette impression de ne pas pouvoir respirer librement. Quelque chose cloche et mon passage à l'hôpital ne me rassure pas du tout. Ils connaissent leur métier, d'accord… mais je connais mon corps, j'y habite depuis trente-trois ans.

Le lendemain, j'ai toujours les mêmes symptômes. Je décide d'aller consulter mon médecin de famille. Elle est plus consciencieuse et daigne regarder mes oreilles et ma gorge. Elle observe la prescription du précédent médecin et augmente la dose un peu plus. Je retourne à la maison, toujours avec cette impression de ne pas pouvoir respirer.

Le surlendemain, aucun changement, je retourne encore voir mon médecin. En me voyant arriver, elle prend mes signes vitaux, ma pression sanguine, elle écoute mes poumons, tout semble normal. Sauf que je suis d'une nervosité absolue et mon souffle est de plus en plus court. Elle me regarde calmement et me dit :

— Je vais te prescrire un antianxiolytique, je pense que tu fais de l'anxiété et comme tu as ton rendez-vous annuel dans deux semaines, nous discuterons de la possibilité de combiner le médicament à des antidépresseurs.

Je suis sur le cul. Je suis peut-être névrosée, mais je ne suis certainement pas dépressive. De ma faible voix, j'argumente qu'il n'en est pas question. Mon médecin me regarde calmement en m'affirmant qu'il est parfois difficile d'accepter le diagnostic. Pour me rassurer, elle me promet que nous arrêterons la médication après six ou neuf mois. Elle m'assure également que les crises peuvent très bien se traiter en thérapie et que pour le moment, il vaut mieux que je cesse tous les sports que je pratique; histoire de ménager mes poumons (qui respirent bien, je vous le rappelle). Sur mon départ, elle me donne un formulaire pour que je passe des radiographies des poumons. Elle me recontactera dès la réception des résultats. Alors, je vais faire des radiographies.

J'arrive à la maison et j'appelle deux personnes. Ma psychothérapeute et ma massothérapeute. Je suis chanceuse, les deux me reçoivent en urgence le lendemain. Plus les heures passent et plus j'ai des chaleurs et des fourmillements au niveau de mes poumons. Je me sens comme un lion en cage. Je m'ennuie de mes inspirations faciles et je m'ennuie du ski, de ma vie normale. Je ne me sens plus comme une idiote, je me sens comme une hyperactive ficelée dans un corps trop étroit pour ce qui se trame à l'intérieur. Je n'en peux plus… alors j'avale un comprimé d'antianxiolytique. Wow, je me sens assommée et un peu euphorique, comme si j'avais fumé un joint de marijuana. Et croyez- moi… c'est de la qualité !

J'ai le sourire facile, j'ai l'âme légère, mais j'ai toujours cette maudite difficulté à respirer. Pourtant, je finis par m'endormir et je fais une nuit de douze heures de sommeil consécutives. Je n'avais jamais réussi à dormir aussi longtemps, sauf dans ma période d'adolescence et, évidemment, cette fameuse nuit en lien avec Philipe. D'ailleurs, maintenant que j'y pense… voulez-vous bien me dire où j'avais la tête ? Pffffffff !

Le lendemain, Marie-Claude, ma massothérapeute, me reçoit. J'ai pris mes bouffées de Ventolin et je suis dans un état d'excitation excessive. Elle m'ausculte et se met à rire.

— Gabrielle, te rappelles-tu de ta blessure à l'épaule de la semaine dernière ?

— Comment l'oublier, la mâchoire ne me fermait plus…

— Le muscle dont il est question fait partie d'une chaîne musculaire. Il se rattache également à ton crâne, ton épaule, ton cou et ton omoplate. Il compresse ton poumon et il peut aussi entraîner des palpitations cardiaques.

— Tu veux dire que je ne fais pas des crises d'anxiété ?

— Je veux te dire qu'il amène les mêmes symptômes. Je suis à peu près certaine qu'en dénouant le muscle, la dernière fois, ta mâchoire s'est détendue, mais il se peut qu'il se soit par la suite contracté dans la gorge et les poumons. C'est pour cette raison que je t'avais conseillé d'aller consulter un ostéopathe. Ils sont en mesure de détendre plus en profondeur les muscles et décoincer les vertèbres et les côtes.

J'avoue que je n'avais pas écouté ses conseils. Avec le recul, j'avais ignoré sa requête, puisqu'elle me recommandait à un homme. Je ne me voyais pas me faire tatillonner physiquement par le sexe opposé. En tout cas, pas de cette façon... Fière comme je le suis, j'ai évidemment omis cette information, histoire de ne pas passer pour une sexiste ou une puritaine. Et vlan dans les dents pour moi et ma pudeur sélective.

Elle m'ausculte la gorge. Elle sourit à nouveau. En quelques secondes, elle masse quelques muscles et, comme par magie, l'air passe mieux et circule plus librement jusqu'au fond de mes poumons.

— Est-ce possible que…, dis-je toujours avec mon filet de voix.

— Que tes palpitations et tes bouffées de chaleur soient maintenant en lien avec tes doses massives de Ventolin ? Qu'en penses-tu ?

— Donc, ce n'est pas dans ma tête ?

Marie-Claude me sourit d'une façon sympathique. Elle m'informe alors que je suis sa deuxième patiente ayant eu ce parcours médical chaotique jusqu'à sa table.

— Décidément, me dit-elle, ce n'est pas aujourd'hui que tu as attrapé un problème de santé mentale. Meilleure chance la prochaine fois… Mme hypocondriaque ! Je te prends sur le champ un rendez-vous avec l'ostéopathe… de sexe féminin.

Je sors de son bureau, un peu soulagée, mais en confusion totale. Est-ce possible que tout soit aussi simple ? Je me sens mieux, c'est vrai… mais toutes mes consultations médicales offraient une autre explication. Au fond, n'étais-je pas un peu moi-même convaincue que je souffrais maintenant d'anxiété généralisée ? Bien que je connaisse très souvent ma propre vérité, pourquoi suis-je encore parfois influençable par le monde extérieur ? Comme je suis encore célibataire… En théorie, je dois souffrir et justifier mon automutilation psychologique ! Entre le désir et la croyance de se faire confiance et le besoin de ne plus souffrir physiquement, ajouté à celui de se faire prendre en charge et le désir d'exister pour quelqu'un, alors que vous comptez pour plusieurs… ça *fuck* une fille par moment.

Mon portable sonne. Je réponds et j'ai au bout de la ligne mon médecin de famille. Elle m'informe que les résultats des radiographies sont normaux. Pas de pneumonie ni d'un cancer grimpant. J'en profite pour lui raconter mon expérience avec la massothérapeute. Elle écoute distraitement, puisque ses « hum hum » ne sont pas nécessairement positionnés au bon endroit dans la conversation. Elle résume mon explication, en me disant qu'elle est bien heureuse que l'effet « placébo » du massage ait fonctionné pour moi... Bang ! Le stress me frappe à nouveau de plein fouet. Calvaire ! Je suis une influençable... c'est confirmé. Un médecin versus une massothérapeute... Qui croire ? Je n'en ai aucune idée.

Histoire de prendre la chance de me saboter davantage (heureusement pour moi, ce ne sera pas le cas), je me précipite maintenant chez ma psy. L'heure de mon rendez-vous arrivait. Bien que je fusse déçue de recommencer un suivi, j'avais tout de même un peu hâte de revoir cette femme si admirable. Comme à son habitude, elle a du retard dans ses rendez-vous. N'ayant rien à faire sauf d'attendre, j'ai le réflexe de reprendre du Ventolin, puisque l'heure du traitement sonne. Au moment où elle vient m'accueillir dans la salle d'attente, elle me découvre en pleine crise de panique. Son regard sévère me signifie « Que fais-tu là... chère enfant au côté dramatique ? ». Elle me demande de la suivre et reprend sa marche d'un pas vif.

— Ça fait combien de temps que tu es dans cet état ? me demande-t-elle.

— Quelques minutes...

— Qu'est-ce qui s'est passé dans ta tête, juste avant le début ?

— Rien...

— Réfléchis bien...

— Je suis à bout de souffle en ce moment, est-ce qu'on n'est pas censé me laisser reprendre mon air un peu ?

— Pas du tout. Cesse immédiatement d'accorder toute ton attention à ton état. Réponds-moi, à quoi pensais-tu ?

— À rien… J'ai juste pris ma dose de Ventolin.

— Combien de doses aujourd'hui et dans les derniers jours ?

Je fais le décompte.

— Alors pas d'inquiétude… Cesse de t'intoxiquer au Ventolin. Tu sais très bien que tu n'es pas en crise d'asthme.

Elle est comme ça ma psy. Directe, grondeuse tout en étant d'une grande aide. Bon dieu qu'elle m'avait manqué ! Elle aurait pu me dire que je n'étais pas obligée d'avoir parcouru tout ce chemin douloureux des derniers jours afin de revenir vers elle. Elle aurait pu me le dire, parce que c'était la seule chose qui me venait en tête, au moment où je la regardais.

— Alors Gabrielle… comment vas-tu ? Je suis contente de te revoir. Je classais justement mes anciens dossiers et je suis tombée sur le tien, seulement quelques minutes avant de recevoir ton appel pour un rendez-vous.

— Alors faut croire que je suis à la bonne place, Jane, dis-je. J'ai fait beaucoup de deuils, ces derniers temps… J'ai envie de t'en parler. Mais pas aujourd'hui. Je voulais juste te revoir et te dire que je vais revenir une prochaine fois. Je reviendrai après mon rendez-vous chez l'ostéopathe, la semaine prochaine.

Jane me fait signe qu'elle est en accord. Je perçois son sourire, celui qui me signifie que tout va bien, que je suis sur le bon chemin. Je ne sais pas s'il est possible d'aimer sa psy comme on aime une mère. Mais dans mon cas, le sentiment s'en rapproche drôlement.

J'ai finalement ce rendez-vous chez l'ostéopathe. Cette magicienne aux doigts de fée me replace trois côtes et deux vertèbres. En quelques jours, des douleurs que j'avais tolérées inutilement disparaissent pour toujours. Je respire, je me sens neuve, je me sens différente.

Je retourne voir Jane. Avec ma nouvelle énergie, avec le récit de mon histoire de la dernière année, avec ma compréhension concernant le parcours de ma vie.

– Et bien, me dit-elle. Le papillon a enfin pris son envol. Il est presque ironique de constater que ton histoire se termine symboliquement par un redressement de ta colonne vertébrale et un nouveau souffle de vie dans tes poumons…

Au courant de la même semaine, je reçois un bouquet de fleurs de la part d'Olivier. Il est écrit : « Encore une fois, je suis désolé. J'espère que tu te portes mieux au niveau médical… Je peux t'offrir un souper pour me faire pardonner ? »

Mon premier réflexe est de constater que, côté « confidentialité » médicale, on repassera. Puis, je pense immédiatement à Ariane, au moment où j'aperçois, dans le bouquet, une fleur d'orchidée. Qui sait, mes trente-quatre ans seront peut-être chanceux…

# Épilogue

– Gabrielle, demande Ariane. Est-ce que tu achèves ?

– Oui, laisse-moi finir ces notes au dossier.

– Chaque année, tu me dis exactement la même chose. Encore cette année, je vais devoir te rappeler que c'est ton anniversaire, et que nous avons une réservation au restaurant. J'aurais pensé que le fait de te rapprocher davantage de la quarantaine t'aurait rendue plus ponctuelle ! Mais non, plus ça change et plus tu demeures la même… à quelques détails près.

– Je sais. Si tu cesses de me parler, je vais pouvoir terminer plus rapidement, Ariane.

– Je t'attends dehors. Tu as les clés pour fermer le bureau ?

– Oui, je vais le faire. Sors de mon bureau et va prendre l'air…

Ariane acquiesce, récupère son manteau et sort à l'extérieur. Elle s'assoit sur l'une des chaises, installées près des fleurs et des arbres. Elle contemple l'affiche sur la devanture de l'édifice, avec une certaine fierté. Nous avons maintenant notre propre firme de consultation psychosociale. Les débuts ont été plus fulgurants que prévu. La firme a pris une envergure de taille, d'année en année. La liste d'attente pour les demandes s'allonge, nous devrons engager plusieurs autres intervenants dans les prochaines semaines. Marco ouvre la porte et sort pour rejoindre Ariane.

– Elle n'est pas prête ? demande-t-il.

– Comme toujours, c'est à croire qu'elle sera en retard à son propre accouchement, dit Ariane.

– Il est prévu pour quand ?

– En octobre, dans quatre mois.

J'ouvre la porte à mon tour, quelques instants plus tard.

– Personne n'a rien oublié ? demandais-je à l'intention de mes deux associés.

Ariane et Marco me font signe que non.

– Alors je ferme pour le week-end… 7538, Chemin de l'Orchidée, on se revoit lundi…

– On se retrouve au restaurant ? demande Ariane à Marco.

Il fait un signe affirmatif de la tête, tandis que j'entre dans la voiture avec Ariane.

– Je te laisse chez toi et je te reprends dans une heure ? dis-je.

— Pas la peine, nous vous rejoindrons à pied. Miguel doit déjà avoir complété la séance d'enregistrement au studio, à l'heure actuelle. C'est lui qui doit récupérer la gardienne pour les filles. Je m'assure que tout est en place et nous serons chez toi par la suite. On prendra un apéritif et toi un jus de pomme ! N'oublie pas que Jérémie et Alexandra veulent te parler par vidéo, sur Internet.

— Je n'oublie pas. D'ailleurs, quelle heure est-il en Allemagne ?

— Aucune idée ! Allez, à plus tard, dit Ariane.

Ariane descend de la voiture et entre dans le duplex. Je poursuis ma route sur quelques mètres, pour garer le véhicule dans l'allée de ma résidence ; vraiment pratique pour rester près de Luna. Je descends de la voiture avec l'étrange sentiment de me dandiner légèrement, lorsque je me déplace. Je n'en suis qu'à cinq mois de grossesse, mais ma fille promet d'être énorme.

— C'est moi…

Olivier vient me retrouver pour m'embrasser.

— Tu es en retard, ma douce, me dit-il.

— Je sais, mais nous avons un peu de temps… la réservation au restaurant n'est que dans deux heures. Comment a été ta journée à l'hôpital ?

— Très bien. J'ai pensé à toi, aujourd'hui. J'ai un nouveau suivi en réadaptation, similaire au dossier d'Ariane à l'époque.

— Wow, j'espère que ta cliente n'a pas une accompagnatrice aussi séduisante que moi…

— J'ai vérifié, mais il s'avère qu'il n'y a qu'une copie de toi. En plus, tu viens en modèle spécial qui porte en prime notre fille.

Je presse doucement ma main contre la carrure de son visage. J'ai toujours aimé sentir la rugosité de sa barbe naissante sous mes doigts.

– Je t'aime mon amour, lui dis-je tendrement.

***

Presque tous sont réunis autour de la table pour mon 37e anniversaire. Les poules se fréquentent toujours et elles sont toutes physiquement sur place pour ce souper. Dernièrement, nous avons commencé à prévoir notre voyage pour nos quarante ans. Cette fois-ci, il est prévu que nous amènerons les conjoints et les enfants. Nous prévoyons être encore plus nombreux, au moment du départ. Ariane, les filles et Miguel seront présents. Moi, de mon côté, j'attends ma première fille. Rachel et Rémi attendent quant à eux un deuxième garçon.

Lily est maintenant devenue « plus sage ». De la célibataire avec plusieurs partenaires qu'elle était, elle est maintenant une femme en couple stable. Elle-même n'en revient toujours pas.

Victoria, quant à elle, est toujours sans enfants (par choix), multiplie les réussites professionnelles et s'assure d'exceller afin d'assurer la loi et l'ordre dans notre société fort complexe. Heureusement pour elle, elle reçoit un bon coup de main de son conjoint, qui est définitivement son alter ego en ce domaine. Donc, peu importe où nous irons, nous serons toujours en sécurité (dans la mesure où ils sont présents !).

Justine n'est plus en couple avec son conjoint. Après plusieurs événements malheureux, elle s'est décidée et a quitté définitivement cet homme. Ils se partagent la garde des garçons, mais il est plus juste de dire que Justine demeure la parente principale. Après sa séparation, elle a fait la connaissance d'un homme aux caractéristiques opposées du père de ses fils. En quelques mois, Justine s'est littéralement épanouie. C'est une réelle chance pour elle, puisque cela lui permet de mettre des limites et de se tenir debout, face au père des enfants qui ne lâche pas prise si facilement.

Alexandra et Jérémie, absents de la soirée, vivent maintenant en Allemagne. À leur demande, les forces armées ont consenti au transfert. Alexandra et moi entretenons encore notre relation d'amitié via la caméra Web. Finalement, Internet a aussi ses bons côtés. De temps en temps, il m'arrive de percevoir le lien de connivence qui existe toujours entre Jérémie et Alex. Je le vois particulièrement dans les moments où Jérémie vient faire ses clowneries derrière Alex, qui à chaque fois se tord de rire. Olivier et moi irons leur rendre visite, un peu après la naissance de notre poupon.

Victor est assis à la table près de son conjoint. Ariane, lui et moi, nous nous voyons un peu moins. Par contre, nous nous parlons au téléphone tout autant. Les visites se font plus rares, particulièrement depuis que Victor et son conjoint ont adopté une petite fille, dont Ariane et moi sommes marraines.

Marie, assise en face de moi, me regarde avec tendresse. Dernièrement, nous avons fait un bilan de ma situation de couple. J'ai fait le constat qu'au moment où j'ai lâché prise sur tout ce qui me maintenait dans mon statu quo, la magie de la vie s'est opérée. J'ai dû laisser partir

Philipe, mais aussi Ariane, en quelque sorte. J'ai quitté mon travail au Centre jeunesse, certaines de mes croyances encombrantes, et puis voilà… le reste n'a été qu'une question de synchronisme et de disponibilité.

À propos de Philipe, il est maintenant célibataire. Sa conjointe l'aurait quitté… pour un homme plus présent et fidèle. Il est vrai que j'ai dû composer avec son retour de « petit chien battu ». Mais je n'ai jamais voulu reprendre ma relation avec lui. Ce qui se bâtit pour de mauvaises raisons se reprend difficilement pour les bonnes. Lorsque le brouillard se lève et que la vision devient plus claire, le spectacle n'est jamais aussi attrayant que dans les souvenirs.

D'ailleurs, j'ai bien fait. Selon moi, j'ai avec Olivier une relation de couple enviable. Ma relation est un amalgame de tout ce que j'ai toujours aimé dans mon entourage. Elle est passionnée, comme pour Miguel et Ariane. Elle est sécurisante et confiante, comme lorsque je vais voir Jane, mon coach de vie. Elle est empreinte de sagesse et de protection, comme Marco. De recul et de perspicacité comme Marie. De séduction, comme Lily. De capacité à surmonter les défis, comme Justine. De compatibilité, comme Rachel et Rémi. De plaisir et de folie, comme Alexandra et Jérémie. De gros bon sens et d'intelligence, comme Victoria. D'amitié, comme « les poules ». De support et de réconfort, comme Victor. De la puissance du lien, comme celui avec Luna. Mais surtout, elle est faite de respect et de bienveillance, comme avec Ariane ; ma presque soeur.

Finalement, avec le recul de mes trente-sept chandelles, je regarde l'année de mes trente-trois ans sous un regard nouveau. Celui qui me suggère qu'en fin de compte, mon histoire était davantage une histoire de plusieurs deuils plutôt qu'une quête amoureuse. Ces mêmes deuils, composés de colère, de tristesse, de déni et d'incompréhension. Toutes ces émotions qui prenaient une place particulièrement importante dans ma vie. Spécialement lorsqu'elles étaient à l'état sauvage ; elles fermaient mon cœur, fermaient mes yeux et ouvraient ma bouche en forme de plainte perpétuelle.

En même temps, je reconnais qu'il s'agissait également d'une histoire d'espoir, d'idéalisme et de toute la beauté de la vie. J'ai eu cette chance incroyable de pouvoir pratiquer le développement de ma tolérance et ma capacité à me laisser aller. Toute cette année aura finalement été un grand atout dans mon parcours de vie. Ainsi, bien que je ne sois pas encore une « experte » en la matière, j'accepte plus facilement de vivre ma vie comme un voyage extraordinaire et je vous assure, ça peut faire toute la différence.

Je suis également plus consciente et reconnaissante face à l'apport des autres qui croisent mon chemin, et ce, même lorsqu'il s'agit autant d'une façon positive que négative. Je pense maintenant que ces interactions aident profondément à entretenir et nourrir mes aspirations et mes désirs, en plus de m'enrichir.

Mais quoi qu'il en soit, j'admets volontiers que ce matin, alors que l'odeur du café envahit la maison, j'aperçois les traces encore toutes fraîches de nos deux corps sur ce lit. Ce lit qui n'est plus « l'autre moitié du lit, vide ». Je vous le souhaite tout autant, si tel est votre désir. Si ce n'est toujours pas le cas, en attendant, prenez mon conseil.

Faites tout simplement l'étoile au milieu du matelas et prenez conscience de ceci : vous n'êtes pas seule.

FIN

# Remerciements

Je tiens à remercier Jean-Marc Cyr, Isabelle Savard, Francine Rouleau, Valérie Vennes, Stéphanie Bernier, Marie-Hélène Pilon, Marie-Pier Raymond, Marie-Pier Rondeau, Simon Ouellet et « mes poules », qui préfèrent garder l'anonymat tout en ayant accepté d'être mises au centre d'une histoire qui ne relève que de mon imagination. Merci à ceux et celles qui ont lu les premières versions, en me faisant cadeau de plusieurs commentaires et suggestions. Mais surtout, merci à toute l'équipe des Éditions ADA, et particulièrement Carine Paradis, ma correctrice. Grâce à son talent et « ses yeux de lynx », la rédaction de ce roman se termine, en toute humilité, avec une certaine qualité que je n'aurais su atteindre de mon propre chef.

www.AdA-inc.com
info@AdA-inc.com